For Allan
In friendship & esteem.

Michael
XII 85

LE SPECTACLE DU DISCOURS

MICHAEL ISSACHAROFF

LE SPECTACLE
DU
DISCOURS

LIBRAIRIE JOSÉ CORTI

11, RUE DE MÉDICIS — PARIS

1985

LE PRÉSENT OUVRAGE
COMPOSÉ ET TIRÉ SUR LES PRESSES DE
L'IMPRIMERIE TARDY QUERCY (S.A.)
46001 CAHORS — France
A ÉTÉ ACHEVÉ EN
Octobre 1985
Nᵒ d'impression : 5401

Nᵒ d'édition : 793
ISBN : 2-7143-0116-9

I

DU TEXTE
A LA REPRÉSENTATION

1

INTRODUCTION AU DISCOURS THÉÂTRAL

Titre paradoxal, certes. *Spectacle* reflète un des objectifs de ce livre qui, on le verra, correspond à une tentative pour ressusciter le discours théorique que certains ont déjà voulu enterrer à Paris ... Enterrement prématuré, me semble-t-il : la théorie n'est pas morte !

Par *discours,* il faut entendre ici ce qui singularise l'usage théâtral du langage, à partir des énoncés (sa dimension verbale) jusqu'au non-verbal (sa dimension visuelle : gestes, mimiques, mouvements, costumes, corps, accessoires, décors). On peut difficilement faire abstraction de la manière *visuelle* dont la scène *situe* le langage, sans faire violence au genre. Au théâtre, le discours est littéralement *mis en spectacle.*

Situer le discours : le théâtre le fait de plusieurs façons. D'abord concrètement : le plateau est un *cadre* qui distingue ce qui s'y dit par opposition à ce qui s'énonce en dehors, donc les énoncés du plateau, leur rapport avec les corps parlants (les comédiens)qui empruntent des propos à un archi-énonciateur (l'auteur). Ensuite, référentiellement : le discours scénique situe par rapport au microcosme théâtral, cet univers visualisé *hic et nunc* par le metteur en scène. Enfin, référentiellement : au sens extra-scénique, par rapport au monde « réel » en dehors du théâtre, c'est-à-dire le *contexte* spatio-temporel de telle ou telle représentation.

Ainsi une partie importante de ce livre est consacrée au *contexte* du discours : contexte étant conçu d'après une double perspective, d'abord énonciative (d'où l'enquête sur les indications de la régie), ensuite *matérielle* : l'espace de l'énonciation. A ce propos, l'exemple privilégié est la pièce de Sartre, *Les Séquestrés d'Altona*, avec ses deux zones oppositives : le rez-de-chaussée (lieu du discours « normal ») et la chambre du protagoniste (lieu du discours de la folie). A chaque zone son discours. Cet exemple montre l'importance considérable du lieu de l'énonciation comme facteur déterminant le sens à attribuer aux propos prononcés. Tout discours est subordonné à des contraintes : comme dans le cas-limite de la chambre de Frantz (où sont supprimés certains référents) ; ces contraintes peuvent être de toutes espèces : politiques, géographiques, situationnelles, etc. A chaque situation ses règles, ses lois. L'espace politique est bien sûr l'exemple par excellence d'un univers de paroles imposé ou interdit, d'où la pertinence de *La Cité sans sommeil* de Tardieu (Ch.8), illustrant l'interdiction d'un discours particulier imposée par un régime totalitaire. Références interdites, discours proscrits : c'est donc un discours *contraint* qui se manifeste dans la seconde partie de ce livre. Complices, la référence et l'espace ; la référence est en partie fonction de l'espace de l'énonciation.

Si le discours peut ainsi être contraint, qu'advient-il, en situation inverse, quand il se libère ? C'est le propos de la troisième partie du volume. Or, le discours comique apparaît l'exemple privilégié du discours « libéré ». Il ne s'agit pas, en premier, d'une libération spatiale, bien que se dessine souvent un lien significatif entre tragique et enfermement d'une part, et comique et liberté, de l'autre. Qui plus est, le mouvement de l'univers tragique est d'habitude restreint sinon supprimé, par opposition à celui, exubérant, excessif, qui caractérise le mode comique. La contrainte éliminée est avant tout référentielle. Le signe éclate. Le signifiant n'est plus rattaché, tel un rocher de Sisyphe, à son référent : libéré, le signifiant est mis en valeur. Son statut dans la comédie s'apparente souvent à celui de la fonction poétique du langage, l'attention du récepteur étant davantage braquée sur sa combinatoire que sur le contenu référentiel qu'il véhicule. Voilà en somme l'orientation du théâtre comique moderne, à partir de la fin du siècle dernier (chez Labiche, chez Jarry), jusqu'aux contemporains : Ionesco, Tardieu, Beckett, Stoppard, pour ne citer que certains noms célèbres.

Est privilégié dans l'ensemble du volume le *texte* théâtral, notion qui appelle quelques précisions. Par ce terme, il faut entendre *le lieu d'inscription de la représentation virtuelle* . Notre option méthodologique n'implique donc nullement l'intention de faire abstraction de la représentation. L'aspect ici mis en valeur est plutôt son stade *préparatoire*, d'où l'intitulé général de la première partie de ce livre. Si j'insiste sur la notion de texte, c'est en raison de son statut de constante unique, dans ce que nous appelons « théâtre ». Il semble préférable de parler du vérifiable que d'émettre hypothèses ou spéculations à propos de souvenirs approximatifs de mises en scène qui risquent toujours de ne pas être communs à tout le monde. En revanche, faut-il ajouter qu'on peut toujours renvoyer au texte théâtral, qui existe, après tout, sous une forme moins éphémère que celle de la représentation...

Les chapitres de la première partie représentent une tentative pour discerner la singularité du texte théâtral et celle de son statut énonciatif lors de la représentation. Une couche du texte, dont l'importance est souvent oubliée, semble nous proposer un horizon suggestif : celle des indications de la régie. Ces brèves annotations situent spatio-temporellement, surtout quand elles sont abondantes, le discours principal, le dialogue. Ce qui est significatif, par ailleurs, on le verra (au Ch.3), c'est qu'elles correspondent à une énonciation *non-fictive* par opposition au caractère fictif du dialogue.

Quant aux actes de parole, particuliers à la scène, sont-ils justiciables d'une analyse inspirée par la pragmatique, théories d'Austin, de Strawson et de leurs émules ? Ou l'énonciation théâtrale serait-elle plutôt apparentée à une longue « citation », ou même à ce rituel primitif dont parle Benveniste — la joute verbale, le *hain-teny* — des Merinas, dénuée d'énonciation où « tout consiste en proverbes cités et en contre-proverbes contre-cités. Il n'y a pas une seule référence explicite à l'objet du débat [...] Ce jeu n'a que le dehors du dialogue ? » [1]. *Qui* parle au théâtre ? Questions capitales que nous tentons d'explorer ici. Quoi qu'il en soit, l'énonciation théâtrale, si énonciation il y a, est liée à tout le problème de la *répétition*, à celui de la *citation* aussi. Dès lors il devient indispensable d'envisager conjointement l'énonciation et *l'intertextualité orale* (dimension, de cette dernière question, inexplicablement négligée jusqu'à présent). A ce sujet, je ne fais qu'entamer un propos fort complexe, en posant quelques jalons.

Il convient de nuancer un peu la notion du discours telle qu'elle s'emploie ici. Que le texte théâtral n'est pas un discours oral, à proprement parler, est évident : c'est une forme écrite conventionnelle qui *représente* l'oral. Ainsi, le *discours*, selon Benveniste, peut correspondre à « la masse des écrits qui reproduisent des discours oraux ou qui empruntent le tour et les fins : correspondances, mémoires, théâtre, ouvrages didactiques, bref tous les genres où quelqu'un s'adresse à quelqu'un, s'énonce comme locuteur et organise ce qu'il dit dans la catégorie de la personne » [2].

---

1. E. Benveniste, *Problèmes de linguistique générale*, II, Paris, Gallimard, 1974, p. 85.
2. E. Benveniste, *Problèmes de linguistique générale*, I, Paris, Gallimard, 1966, p. 242.

Inhérente à cette notion du discours reproduit, peut être celle, complémentaire, d'un usage particulier à un domaine spécifique ou pour emprunter la formule de Todorov, « c'est le pendant structural du concept fonctionnel d'« usage » (du langage) » [3]. Ce qui est envisagé est la linguistique d'usage *au-delà de la phrase*, définition du discours fort courante chez les linguistes [4]. En revanche, à s'en tenir à la spécificité du discours théâtral, il ne faut pas se cantonner dans les catégories de linguistes, qu'il s'agit d'élargir compte tenu de la réalité scénique.

Reste à préciser la manière dont nous abordons, en pratique, les problèmes ici soulevés, ainsi que le corpus utilisé. A l'instar des spécialistes de l'analyse du discours dont l'objet d'étude se situe au-delà de la phrase, je tente de sonder le discours théâtral *au-delà de l'énoncé cité en exemple*. C'est dire que les chapitres de synthèse théorique s'accompagnent de vérifications pratiques faites à partir de pièces prises individuellement *à titre d'ensembles*. Aucune « théorie » (à plus forte raison, littéraire) ne vaut sans illustration concrète ; une telle illustration devrait, me semble-t-il, dépasser le fragment cité à l'appui d'une démonstration théorique. On trouvera ainsi, dans ce volume, plusieurs chapitres consacrés à l'analyse détaillée de textes individuels (notamment les chapitres 2, 4, 6, 7, 8, 10, 11, et 12). En revanche, il convient sans doute d'ajouter que l'objectif de cet ouvrage n'est absolument pas de fournir de « nouvelles interprétations » de telle ou telle pièce de théâtre, bien que, à la lumière des discussions théoriques, de telles interprétations puissent s'amorcer ou s'en dégager. L'objectif premier de ce volume est *l'étude d'un discours particulier*, en l'occurrence celui du théâtre.

---

3. T. Todorov, *Les Genres du discours*, Paris, Seuil, 1978, p. 23.

4. Cf. cette définition de M. Stubbs, *Discourse Analysis,* Oxford, Blackwell & Chicago, University of Chicago Press, 1983 : « *Discourse analysis* [...] refers to attempts to study the organization of language above the sentence or above the clause, and therefore to study larger linguistic units, such as conversational exchanges or written texts » (p. 1). Sur la *dynamique* de l'énonciation et les problèmes de l'analyse du discours qui s'y rapportent, voir G. Brown & G. Yule, *Discourse Analysis*, Cambridge, Cambridge University Press, 1983. J. Dubois, *Dictionnaire de linguistique*, Paris, Larousse, 1973, propose une définition analogue : « Dans son acception linguistique moderne, le terme de *discours* désigne tout énoncé supérieur à la phrase, considéré du point de vue des règles d'enchaînement des suites de phrases. La perspective de l'analyse de discours s'oppose donc à toute optique tendant à traiter la phrase comme l'unité linguistique terminale ». (p. 156).

Par ailleurs, ce livre s'inscrit dans la lignée des travaux récents en sémiotique théâtrale [5], domaine qui se développe actuellement, malgré son retard par rapport aux études parallèles sur les discours poétique et narratif. Toutefois, contrairement à d'autres, je n'estime pas qu'il soit pertinent d'« appliquer » au discours littéraire (théâtral en ce cas) telle théorie empruntée à la hâte aux linguistes, aux philosophes. Il est fondamental pour l'analyste du discours littéraire, de respecter la *singularité* du discours qu'il étudie : c'est là nécessairement son point de départ, trop souvent dédaigné par les littéraires honteux en quête d'alibis pseudo-scientifiques réputés plus prestigieux. L'idéal serait une communication dans les deux sens : je ne vois pas pourquoi il serait inconcevable, pour les linguistes et les philosophes, de s'inspirer un jour de l'humble bricolage, voire des institutions de leurs confrères littéraires... Le discours littéraire, après tout, est aussi riche en possibilités théoriques que le langage « ordinaire » ou ces énoncés fabriqués à des fins d'une démonstration.

Quant au corpus retenu, il va de soi qu'il est fonction de mes compétences professionnelles : je me suis donc abstenu de l'emploi de textes que je ne sais lire dans leur version originale. Essentiellement la plupart des exemples cités proviennent (à quelques exceptions près dans le cas de certaines pièces d'époques antérieures) du théâtre français, anglais et américain des XIXe et XXe siècles.

Il va sans dire qu'aucune des trois parties de ce volume n'épuise la problèmatique (assez vaste, parfois) qu'elles explorent. La première s'inscrit dans le contexte de recherches en cours sur le discours théâtral et sa spécificité ; la seconde représente le pendant théâtral d'une réflexion sur l'espace littéraire, entamée, il y a quelques années, dans *L'Espace et la nouvelle* [6] ; la troisième enfin correspond à un projet associé en préparation, consacré entièrement au discours comique [7].

---

5. Voir surtout K. Elam, *Semiotics of Theatre and Drama*, Londres, Methuen, 1980 et du même auteur, *Shakespeare's Universe of Discourse*, Cambridge, Cambridge University Press, 1984 ; Anne Ubersfeld, *Lire le théâtre*, Paris, Éditions Sociales, 1977 ; P. Pavis, *Voix et images de la scène*, Lille, Presses Universitaires de Lille, 1982 ; le numéro spécial de *Poetics Today* (« Drama, Theater, Performance ») 2 :3 (1981) ; J.O. Urmson, « Dramatic Representation », *Philosophical Quarterly* 22 (1972), pp. 333-343.
6. Paris, Corti, 1976.
7. Il fera l'objet d'un volume, à paraître prochainement, sous le titre *Semiotics of Comedy*.

Pour une théorie joyeuse

La « théorie » (surtout littéraire) n'a pas à être *triste*... Si nous avons vu son époque apollinienne, il est temps de passer à sa période dionysiaque. D'où, en partie, le choix d'un corpus constitué de comédies pour le troisième volet de cet ouvrage. A s'inspirer des théories de Kœstler, il faut admettre le *sérieux* du comique, qui, dans sa façon de réunir des domaines jugés incompatibles, s'apparente au processus de création artistique, voire de découverte scientifique. En y puisant la source d'une théorie, on aurait des chances d'aboutir à une formulation *lisible*, aux antipodes de cette austérité rébarbative, indissociable, selon certains, de la spéculation littéraire. Le discours comique lui-même est foncièrement *humain*, s'agissant d'un échange verbal procurant aux interlocuteurs un plaisir certain sinon, aux moments privilégiés, la joie.

Le spectacle est conçu pour plaire. Le *plaisir* du texte *théorique* serait-il inconvenant ?

2

ACTES DE PAROLE SUR LA SCÈNE
(OU LE SCEPTICISME DE IONESCO)

Les actes de parole (l'énonciation) du discours littéraire ou non-littéraire sont subordonnés à la *référence*. L'énonciation *actualise* l'énoncé en le mettant dans un contexte. Le sens est fonction de cette actualisation. A partir d'une série de signifiants dénués de référents, comme les phrases citées en exemple dans les manuels de grammaire ou dans les traités de philosophie, l'énoncé se transforme en énonciation, devenant, en d'autres termes, un *acte* de parole, ce qui implique la présence d'un locuteur, d'un allocutaire, d'un contexte spatio-temporel spécifiques. L'énoncé ainsi actualisé, occurrence énonciative particulière, comporte obligatoirement un référent et une référence, c'est-à-dire un *acte* référentiel.

Pour s'en convaincre, il suffirait de considérer la phrase : *Où avez-vous obtenu ce livre ?*, exemple de l'interrogatif, énoncé sans référent opérant, situé donc en dehors de l'échange verbal, et la même phrase, quand je m'adresse à vous, cher lecteur, chère lectrice, afin de vous poser une vraie question : *Où avez-vous obtenu ce livre ?* En ce cas, bien entendu, il s'agit d'une référence à l'exemplaire du *Spectacle du discours* que vous avez entre les mains, exemple donc d'une description définie [1] ou de la fonction uniquement référentielle [2] (par opposition à la référence non spécifique à une *catégorie* d'objets). *Où* signifie la librairie, la bibliothèque, le domicile d'amis ; *obtenu* signifie achat, prêt, cadeau (ou vol !) ; *ce livre*, c'est-à-dire l'exemplaire du *Spectacle du discours* que vous êtes en train de lire aujourd'hui — le 2 septembre 1985 à 14h ?

---

1. Sur cette notion, voir K. Donnellan, « Reference and Definite Descriptions, » *The Philosophical Review* LXXV (July 1966), pp. 282-304.
2. Voir P.F. Strawson, « On Referring », *Mind* LIX (1950), repris in *Logico-Linguistic Papers* Londres, Methuen, 1971, p. 1.

Mais encore faut-il, de prime abord, préciser la nature particulière de l'énonciation et de la référence *au théâtre* car contrairement à certains [3], j'estime que l'énonciation théâtrale ne saurait être assimilée à l'énonciation tout court, étant donné que le locuteur, l'allocutaire et le contexte de l'énonciation ne sont pas tout à fait les mêmes qu'en dehors d'une représentation. Au théâtre il s'agit de la *représentation du discours* plutôt que d'une énonciation réelle, ordinaire. Le dialogue théâtral n'est qu'un dialogue postiche, en ce sens que tel acteur n'est pas en fait en train de s'entretenir avec tel autre, pas plus qu'il ne s'adresse aux spectateurs (même dans les apartés)... Les propos des comédiens sont des énoncés empruntés à tel archi-énonciateur (l'auteur) qui, lui, attribue des répliques à tel personnage virtuel dont l'identité (effective) n'est pas stable. Un principe fondamental sous-tend donc le comportement verbal de tout locuteur (fictif) sur un plateau, (pour actualiser les énoncés de Rimbaud) : "Je est un autre". La scène, aire de l'énonciation fictive, constitue le cadre qui s'approprie les énoncés, situant toute énonciation sous la rubrique du discours faux, à écouter, certes, mais non conçu pour agir sur tel allocutaire dans la salle grâce à une fonction perlocutoire [4]. Bref, au théâtre, le dialogue semble être avant tout un discours mis en spectacle...

Mais si les énoncés ne viennent pas des comédiens (ils ne les *choisissent* pas), *qui* parle ? De toute évidence, ce n'est pas l'acteur ; ce n'est pas l'auteur qui, tout en ayant rédigé les propos, ne les *dit* pas ; ce n'est pas le metteur en scène qui ne fait que déterminer le contexte matériel, la destination, l'élocution des

---

3. Consulter à titre d'exemple M.L. Pratt *Toward a Speech Act Theory of Literary Discourse*, Bloomington & Londres, Indiana University Press, 1977, p. 115. Pour la position inverse, voir B. Herrnstein Smith, *On the Margins of Discourse*, Chicago & Londres, University of Chicago Press, 1978, en particulier pp. 15-40.

4. Il s'agit, bien entendu, de la catégorie de J.L. Austin, *How To Do Things With Words*, Cambridge, Mass., Harvard University Press, 1962. (La position de Austin sur le discours littéraire est extrême : il rejette ce qu'il estime un discours « parasite », peu pertinent au problème de la référence. V. notamment pp. 21-22). Il y a eu diverses tentatives d'« appliquer » la théorie de l'énonciation au discours littéraire. Toutefois, le plus souvent, elles font abstraction de la question de la *représentation théâtrale* (et de ses répercussions référentielles). Voir par exemple : R. Ohmann, « Speech Acts and the Definition of Literature, « *Philosophy and Rhetoric*, Vol. 4, N° 1 (Winter 1971), pp. 1-19 ; Stanley Fish, *Is There a Text in this Class ?* Cambridge, Mass., Harvard University Press, 1980 (V. surtout Ch. 9 « How To Do Things With Austin and Searle », pp. 197-245) ; S. Felman, *Le Scandale du corps parlant*, Paris, Seuil, 1980.

paroles prononcées. Pourtant c'est bien l'auteur qui parle : par personnes interposées, littéralement ses *porte*-parole (même s'il n'est pas solidaire de leurs remarques). Il emprunte une voie de transmission différée, puisqu'il ne saurait communiquer en direct, mais ce canal est à la fois instable et imprévisible : les porte-parole ne resteront pas les mêmes ; rien ne garantit leur énonciation, leur élocution. L'auteur dépend donc de mauvais *phonographes* (au sens d'Alain) qui risquent à tout moment de faire à leur guise. Le locuteur est donc l'auteur, médiatisé par des comédiens imprévisibles assistés d'un metteur en scène, qui pourra même couper le circuit. A qui s'adresse-t-on ? L'allocutaire n'est pas tout bonnement le public, car il lui est interdit de répondre, tout au moins en empruntant la même voie verbale. Les autres personnages sur scène? Ce ne sont que des allocutaires postiches qui font semblant d'écouter. On peut bien sûr subvertir ces normes de l'axe locuteur/allocutaire : Molière et Cocteau le font. Molière prête son nom au personnage (qu'il a incarné lui-même) dans *L'Impromptu de Versailles ;* il a en outre interprété la plupart des principaux rôles de ses autres pièces [5]. Cocteau a tenté dans *L'Impromptu du Palais-Royal* de faire sauter la barrière séparant la scène de la salle en plantant dans celle-ci un personnage qui interrompt l'action scénique pour s'entretenir avec les comédiens, corriger leur prononciation, etc. D'autres, comme Genet [6], s'inspirant d'Artaud, ont suivi des voies analogues. Les expériences de Molière, de Cocteau, de Genet, loin d'être de simples techniques ludiques, remettent en question le statut du discours théâtral.

------

5. Faut-il préciser qu'en prêtant son nom au personnage de *L'Impromptu* et en créant plusieurs rôles importants de son propre théâtre, Molière remet en question l'identité et donc le statut du locuteur sur la scène. Pour des indications plus détaillées sur cette question, voir mon étude, « How Playscripts Refer. Some Preliminary Considerations », in Whiteside & Issacharoff, *On Referring in Literature*, (à paraître).

6. Je cite en exemple ailleurs (voir pp. 79-82) *Les Bonnes* où un bruitage (associé habituellement à la *salle*) utilisé sur scène, subvertit la division scène/salle. (Ionesco se sert d'une technique analogue dans *Les Chaises*). Cf. cette remarque de Genet dans son propos liminaire « Pour jouer *Les Nègres* » : « Cette pièce, je le répète, écrite par un Blanc, est destinée à un public de Blancs. Mais si, par improbable, elle était jouée un soir devant un public de Noirs, il faudrait qu'à chaque représentation un Blanc fût invité — mâle ou femelle. L'organisateur du Spectacle ira le recevoir solennellement, le fera habiller d'un costume de cérémonie et le conduira à sa place, de préférence au centre de la première rangée des fauteuils d'orchestre. On jouera pour lui. *Sur ce Blanc symbolique un projecteur sera dirigé durant tout le spectacle.* » J. Genet, *Les Nègres*, Paris, L'Arbalète, 1963, p. 13. [C'est moi qui souligne].

En admettant que le locuteur tout comme l'allocutaire est un amalgame, comment la *référence* fonctionne-t-elle au théâtre ? On trouvera (au chapitre 9) quelques indications sur ce propos, mais rappelons ici que le *référent* est de deux sortes : intratextuelle (ou endophorique), c'est-à-dire braquée sur l'univers fictif (du texte littéraire) ou extratextuelle (exophorique), en ce cas braquée sur le dehors : concret, abstrait ou (inter)textuel. Quant à la représentation du référent, quatre possibilités s'offrent au dramaturge : 1° non visible (exclusivement verbalisé) ; 2° partiellement visible (figuration d'un ensemble non montré intégralement) ; 3° visible (visualisé seulement) ; 4° visible *et* référé dans le dialogue (c'est-à-dire mis en relief). Enfin la référence, tout comme l'énonciation, s'apparente à la rivière d'Héraclite : on ne peut s'y baigner deux fois. Les circonstances historiques, et donc le contexte verbal, ne sauraient jamais se reproduire de façon identique. Ainsi la distinction tripartite de Strawson (phrase, énoncé, énonciation) [7] devient particulièrement pertinente au théâtre, où il faudrait distinguer (sur le plan référentiel) entre texte, mise en scène, et représentation individuelle. Aussi, par exemple, une représentation des *Mouches* de Sartre ne pourrait-elle jamais avoir aujourd'hui le même sens, politique, théâtral, esthétique, que lors de la création par Charles Dullin en 1943, au Théâtre Sarah-Bernhardt pendant l'Occupation.

Il convient, à présent, d'explorer ces principes de façon un peu plus empirique. Je me propose de le faire à partir d'un cas-limite : *Les Chaises* de Ionesco, farce (tragique) qui, selon les normes du genre, met en valeur le visuel, se prêtant ainsi fort pertinemment à notre problématique référentielle. Cette pièce présente en prime l'avantage non négligeable (pour le théoricien) de la dislocation de la relation signifiant-référent et donc celle de la dichotomie spatialité-référence. D'habitude, au théâtre, l'espace (le perceptible) dépend de la référence. Dépendance intégrale, si les objets, les meubles, le décor, ne sont pas montrés sur le plateau : en ce cas, ils n'ont qu'une existence verbale. Dépendance partielle, si les éléments en question sont visualisés ; en ce cas la référence du dialogue suscite expressément l'attention des spectateurs.

Or, que se passe-t-il dans *Les Chaises* ? Deux personnages se parlent, se référant tantôt à des éléments comme s'ils étaient visibles : aux invités qui arrivent, aux vêtements qu'il portent, aux gestes qu'ils esquissent, tantôt, au contraire, à des éléments

---

7. Voir P.F. Strawson, « On Referring, » p. 6.

effectivement visibles sur le plateau (« Prenez donc cette chaise... » etc.). Cela soulève une question fondamentale, apparemment simple : qu'est-ce que le visible au théâtre ? Ce qu'on voit sur scène, évidemment. Mais *on*, c'est qui ? A ces questions il faut ajouter une autre, liée aux précédentes : que signifie *exister* au théâtre ? Il est évident que ce qui est perçu *par les spectateurs* existe : *esse est percipi,* pour reprendre la formule de Berkeley. Le *visible* signifie donc du point de vue du public et non des personnages. On n'est pas censé voir le poignard de Macbeth dans la célèbre tirade : « Is this a dagger which I see before me, The handle toward my hand ? Come, let me clutch thee ! I have thee not, and yet I see thee still. » (Acte II, sc.i) Puisqu'il n'est pas perceptible, il n'existe pas pour les spectateurs (bien qu'il « existe » pour Macbeth). Ainsi quand le Vieux dit à la Vieille « je t'apporte une chaise », l'énoncé est vrai à condition que la chaise soit visible, la référence étant en ce cas opérante. Mais que dire alors de ce qui n'est pas rendu perceptible au public ?

En reprenant maintenant les catégories de la représentation référentielle, et notamment celle du référent non-visible, il conviendrait de se demander s'il est possible de distinguer entre différents types du non-visible. Il va sans dire que c'est là la question par excellence soulevée par notre cas-limite des *Chaises*, pièce située en filigrane tout au long de notre discussion, qu'elle a d'ailleurs inspiré... La norme du non-visible est à peu près celle-ci : les personnages peuvent, comme chez Racine, par exemple, parler de ce qui n'est pas montré, la mort d'Hippolyte, les portes de Trézène, le chemin de Mycène, etc. Une condition s'impose : le non-visible doit se situer soit dans le passé, (dans l'avenir quand il s'agit d'un élément à visualiser ultérieurement), soit dans la *coulisse*, bref, en dehors du microcosme scénique [8]. Toutefois on pourrait ranger parmi les exceptions les cas où un personnage évoque, à l'aide de son imagination, une scène non perçue par les spectateurs, qui se déroule simultanément ailleurs. L'exemple évident serait *Huis clos* au moment où Estelle « voit » son amant sur terre danser avec une autre femme [9]. Ainsi, abstraction faite de ces cas d'évocation « mimétique » par l'imagination, on peut dès à présent poser le principe suivant : une séparation (spatio-temporelle) s'impose entre le visible scénique et le non-visible extra-scénique, celui-ci étant habituellement relégué à la coulisse.

8. Sur cette notion du microcosme théâtral (par opposition au macrocosme), voir E. Souriau, *Les 200 000 situations dramatiques*, Paris, Flammarion, 1950.
9. Cf. ici chapitre 6.

Et *Les Chaises* de Ionesco ? Dans ses expériences sur les possibles de la représentation, le dramaturge rejette expressément le principe auquel je viens de faire allusion. Le Vieux et la Vieille s'adressent à des personnes, se réfèrent à des choses restées invisibles au public. Au lieu de situer de tels éléments ailleurs, Ionesco les plante de façon provocante, sur le plateau, envahi progressivement par ces présences absentes. Le mouvement, paradoxal, de la pièce est d'ailleurs le suivant : le non-visible ayant rempli la scène, expulse le visible, c'est-à-dire les Vieux qui se suicident en sautant par la fenêtre. En d'autres termes, le dramaturge brouille les cartes — celles de l'énonciation — en mettant sur les planches ce qui appartient à la coulisse : le non-visible. Il parvient aussi, à l'aide de bruitages (et de quelques allusions du dialogue) à renverser les zones : scène/coulisse, scène/salle. Les bruitages nombreux — les vagues, les barques, les sonneries ininterrompues — prolongent le visible acoustiquement, semblent conférer, par leur accumulation, plus de réalité à la coulisse qu'au plateau. Ils ponctuent l'action scénique, de plus en plus illusoire, en y injectant un semblant de réalité. Quant à la relation scène/salle, la réplique de la Vieille (« Demandez le programme...qui veut le programme ? ») la subvertit référentiellement ; le bruitage de la fin de la pièce achève cette subversion, conçue pour mettre en doute la réalité du visible, cette fois-ci celle de la salle [10].

Mais le brouillage référentiel va plus loin encore en juxtaposant énoncés faux (sans référent) et énoncés vrais, ce qu'on relève dans les répliques d'un même personnage (en l'occurrence la Vieille) :

(1) « Quel joli éventail ! Mon mari m'en avait offert un semblable...) »

(2) « En attendant prenez cette chaise. » [11]

Faut-il ajouter que dans le premier exemple, l'éventail demeure invisible, le mari, visible ; dans le second, la chaise est tout à fait visible, tandis que l'allocutaire reste invisible. Ce mélange

---

10. Voici la didascalie, fort significative : « [...] La scène reste vide avec ses chaises, l'estrade, le parquet couverts de serpentins et de confetti. La porte du fond est grande ouverte sur le noir. On entend pour la première fois les bruits humains de la foule invisible : ce sont des éclats de rire, des murmures, des « chut », des toussotements ironiques ; faibles au début, ces bruits vont grandissant ; puis, de nouveau, progressivement, s'affaiblissent. Tout cela doit durer assez longtemps pour que le public — le vrai et visible — s'en aille avec cette fin bien gravée dans l'esprit. » (p. 180).

11. Ces répliques sont extraites de la même tirade de la Vieille dans *Les Chaises* in Ionesco, *Théâtre I*, Paris, Gallimard, 1954, p. 142.

hétéroclite de références vraies et de références fausses donne comme résultat le curieux tour de force qui consiste à imposer comme norme le référent non-visible, au point où le spectateur est contraint de mettre en doute la réalité des référents *visibles* (chaises, Orateur, peut-être même les Vieux). Ainsi, dans un contexte référentiel comme celui-ci, lorsqu'on annonce l'arrivée de l'Orateur, on s'attend à ce qu'il soit conforme aux autres invités, c'est-à-dire invisible ! Attente frustrée : le dramaturge trangresse sa propre loi, ce qui nous amène à confondre, ou tout au moins, à mettre sur le même plan, du point de vue de la référence, le vrai et le faux, ce qui existe et ce qui n'existe pas.

Reste une autre dimension des *Chaises,* à titre de pièce *spéculaire*, ce qui remet en question bon nombre de ses énoncés et de ses référents. Le texte contient suffisamment d'indices confirmant la portée allégorique de la pièce qui symboliserait le théâtre et plus exactement le problème de la création théâtrale. On nous montre un auteur (le Vieux) ayant « un message à communiquer à l'humanité » [12]qui précise par ailleurs : « j'ai engagé un orateur de métier, il parlera en mon nom » [13]. Sa femme explique à un invité : « mon mari est là, c'est lui qui organise » [14]. Le Vieux est donc à la fois auteur et metteur en scène. Quant à la Vieille, puisqu'elle apporte tout le temps des chaises, les arrange, vend des programmes, etc., son rôle semble être celle d'une ouvreuse-régisseur [15]. Les chaises, évidemment, (en dehors de leur fonction de figurer les invités) sont censées représenter la *salle* (cette impression étant explicitement confirmée par une didascalie : « [elles] forment des rangées régulières, toujours augmentées, comme pour une salle de spectacle...) [16]. Enfin l'orateur « de métier » c'est bien entendu le comédien, et les invités invisibles, le public.

Cette nouvelle « distribution » permet de répondre aux questions soulevées au début de ce chapitre. *Qui parle* ? En effet, ce n'est pas l'auteur, présent et absent à la fois : visible comme le Vieux avant le spectacle, invisible dès le lever du rideau. La Vieille, de même, est visible pendant les préparatifs mais comme toutes les ouvreuses, elle s'éclipse au commencement du specta-

---

12. *Les Chaises*, p. 137.
13. *Les Chaises*, p. 139.
14. *Les Chaises*, P. 164.
15. Cf. la remarque du Vieux « [...] merci à l'ouvreuse [...] vendeuse de chocolats glacés et de programmes. » *Les Chaises*, p. 176.
16. *Les Chaises*, p. 158.

cle. Et l'Orateur ! On ne manquera pas de s'étonner de son mutisme. Et pourtant, nous avons déjà vu que les comédiens ne sont que des porte-parole, engagés pour dire les propos d'autrui, comme l'Orateur ! En effet, ils ne *parlent* pas, ils sont muets... *A qui s'adresse-t-on* ? Aux spectateurs, qui sont effectivement, parfois invisibles, surtout imprévisibles, toujours différents. La farce est donc tragique pour qui veut croire à la communication théâtrale. L'auteur, souvent mort, est condamné à confier son « message » à des acteurs sinon incompétents, infirmes !

Une telle lecture confère aux *Chaises* une dimension intertextuelle polyvalente, d'abord au sens large : à intertextes non spécifiques, c'est-à-dire référence à la convention du théâtre, à celle de la critique ; ensuite, dans une perspective plus personnelle, à titre d'une déclaration d'auteur, en termes à peine voilés, des avatars de la création devant la critique ; ou même, enfin, une réécriture oblique de *L'Impromptu de Versailles* ou version anticipant, sous une forme plus sophistiquée, *L'Impromptu de l'Alma*. En ce cas, le prétexte des *Chaises* serait de « préparer » un spectacle à venir (qui ne vient jamais en raison du mutisme du protagoniste), tout en faisant la démonstration pratique de la théorie de son auteur sur un nouveau langage théâtral et sur la référence. D'après cette hypothèse, le Vieux des *Chaises* serait une préfiguration de Ionesco dans *L'Impromptu* et l'Orateur cumulerait deux fonctions : acteur et critique ; comme critique il annoncerait, bien sûr, Bartholoméus I, II et III et enfin, autoparodiquement, Ionesco, en « docteur » faisant sa conférence à la fin de *L'Impromptu*. La réplique de Ionesco dans *L'Impromptu* jette, d'ailleurs, un intéressant éclairage rétrospectif sur *Les Chaises* : « En réalité, je me mets en scène pour entamer une discussion sur le théâtre, pour y exposer mes idées » [17]. D'autres répliques de *L'Impromptu* sont aussi pertinentes aux *Chaises* : « Je parlerai donc du théâtre, de la critique dramatique, du public » [18] Quant à cet échange :

> Bartholoméus II : Obtenir une interprétation suprême de l'œuvre...
>
> Bartholoméus I : Qui serait la somme de toutes les interprétations successives et contradictoires... [19]

---

17. E. Ionesco, *L'Impromptu de l'Alma* in *Théâtre II*, Paris, Gallimard, 1958, p. 14.
18. *L'Impromptu de l'Alma*, p. 15.
19. *L'Impromptu de l'Alma*, p. 30.

il semble faire l'écho de la remarque optimiste du Vieux en ce qui concerne l'allocution de l'Orateur :

> [...] Qu'importe à présente tout cela, puisque je te laisse, à toi mon cher Orateur et ami [...] le soin de faire rayonner sur la postérité la lumière de mon esprit... Fais donc connaître à l'Univers ma philosophie [20].

Qui plus est, lorsque Ionesco, à la fin de *L'Impromptu de l'Alma*, assume le rôle de l'Orateur (Marie lui apporte une carafe d'eau et un verre), il fait une allusion qui situe sous un jour référentiel nouveau (encore un !) cette pièce : « le texte que vous avez entendu est puisé, en grande partie, dans les écrits des docteurs ici présents » [21]. Il entend par là, bien sûr, ses bêtes noires Brecht et Barthes entre autres auxquels, paradoxalement, il faut ajouter... Ionesco ! Jeu de ricochets intertextuels et référentiels à l'infini...

A la lire ainsi, *Les Chaises* se transforme en pièce instructive et exemplaire, en ce qui concerne les actes de parole et la théorie de la référence. Qui parle ? A qui s'adresse-t-on ? Ces questions prennent une allure sans cesse nouvelle. La pièce de Ionesco montre l'étonnante fragilité de ces oppositions binaires si catégoriques : visible ou invisible, référentiel ou non-référentiel scène ou salle, scène ou coulisse, et ainsi de suite. Elle incarne une contestation de ces théories qui dressent une barrière absolue entre spectacle et non-spectacle, entre discours littéraire et non-littéraire, entre acte de parole « vrai » et « faux ». Bref, elle constitue l'entrée en matière la plus pertinente à ce livre, en proposant au lecteur (visible ou invisible) à la place d'un dogmatisme positiviste, un scepticisme salutaire...

20. *Les Chaises*, p. 176-177.
21. *L'Impromptu de l'Alma*, p. 55.

3

TEXTE THÉÂTRAL ET DIDASCALECTURE

Soit la couche du texte théâtral non prononcé sur la scène lors de la représentation, c'est-à-dire les énoncés didascaliques [1]. Est-il besoin de préciser que dans toute étude visant à déceler la singularité du discours théâtral, il convient de distinguer entre ce qui est dialogue et ce qui ne l'est pas, à savoir tout énoncé non destiné à être dit sur le plateau. La catégorie didascalies inclut donc à la fois les indications scéniques et toute mention de l'identité des locuteurs et du lieu de l'énonciation. Mais de prime abord, *pourquoi* s'intéresser à une couche du texte souvent accessoire, normalement subordonnée au dialogue, qui n'est même pas prononcée sur scène, à ce qui, enfin, est gommé lors de la représentation [2] ? Et quelle est la relation entre *didascalies* et *lecture* ?

---

1. Version remaniée d'un article paru dans *MLN*, 96 :4 (1981), Johns Hopkins University Press.
2. Les théoriciens du théâtre ont fait preuve d'une certaine myopie à l'égard de cet important problème, ne semblent pas avoir su reconnaître les didascalies à titre de composante essentielle du langage théâtral, digne d'être étudiée. Ainsi, dans un des principaux ouvrages consacrés exclusivement au discours théâtral, *Le Langage dramatique* (Paris, Colin, 1972), Pierre Larthomas passe totalement sous silence cette couche du texte. Par contre, l'ouvrage récent (en langue française) consacre le plus grand nombre de pages à cet aspect du discours théâtral, *L'Écrivain scénique* de Michel Vaïs (Montréal, Presses de l'Université du Québec, 1978), propose une étude approfondie du théâtre de Genet, de Weingarten, de Beckett, etc., en envisageant les indications de la régie non à titre de *langage*, mais uniquement à partir des *référents* et de leur fonctionnement. Vaïs (qui ne se situe pas dans une perspective théorique) se contente de relever la série d'accessoires chez Beckett et d'autres, en commentant leur importance. Ses commentaires correspondent à un classement à six catégories : accessoires, décors, musique, costume, maquillage, éclairage — qui fait entièrement abstraction du *discours* didascalique qui s'y réfère. L'omission la plus surprenante dans ce système est celle du *langage* et de la *gestuelle*, par exemple. Il est évident que les didascalies portent souvent explicitement sur le contenu de telle ou telle réplique, sur tel ou tel geste, sur tel ou tel mouvement. Enfin, cette carence peut surprendre davantage dans un important ouvrage récent consacré à la sémiotique théâtrale et dont l'approche consiste à cerner le *texte* dramatique et sa spécificité : *Lire le théâtre* (Paris, Éditions sociales, 1977) d'Anne Ubersfeld. Inexplicablement on n'y relève

Que les didascalies, tout en étant muettes lors de la représentation, constituent une caractéristique fondamentale du texte théâtral, c'est l'évidence même : elles sont l'une des marques distinctives du texte théâtral par rapport au texte romanesque, par exemple [3]. Le discours théâtral *s'actualise* en partie sur le plateau, tandis que le discours romanesque *existe* à mesure seulement qu'on lui souffle une vie pendant la lecture. Distinction évidente (et commode), mais on constatera en fait que les didascalies participent parfois de la lecture en tant que telle, qu'elles conditionnent, se rapprochant du texte romanesque surtout quand elles sont autonomes par rapport au dialogue. Les didascalies ont ainsi, on le verra, un statut paradoxal : elles constituent en partie la singularité du texte théâtral par opposition aux autres discours littéraires ; elles peuvent être aussi le trait d'union entre texte théâtral et texte romanesque.

Les remarques qui suivent n'ont qu'une prétention modeste : ce sera simplement une tentative d'un premier classement, des prolégomènes à l'étude d'un problème complexe. A la suite de quelques observations sur la lecture du texte théâtral, on envisagera une typologie des didascalies ainsi qu'une analyse des *fonctions* du discours didascalique. C'est dire que j'insisterai sur la

---

que de rares remarques sommaires sur les didascalies, malgré le fait que l'auteur consacre un long chapitre aux problèmes de l'énonciation et à ceux du discours théâtral. Signalons toutefois que la question des indications scéniques est soulevée au passage par Roman Ingarden dans un magistral ouvrage sur la phénoménologie du texte littéraire : *Das literarische Kunstwerk* (Tübingen, Max Niemeyer Verlag, 1965), traduit en anglais par George G. Grabowicz sous le titre : *The Literary Work of Art. An Investigation on the Borderlines of Ontology, Logic and Theory of Literature*, Evanston, Northwestern University Press, 1973, notamment aux pp. 377-396.

3. Il est évident que le roman peut inclure des notations semblables aux didascalies. Précisons cependant que de telles annotations peuvent se manifester aux niveaux intradiégétique ou métadiégétique. G. Prince a consacré un excellent article (« Le discours attributif et le récit », *Poétique* 35 (1978), 305-313) au contexte et à la destination de la parole au niveau intradiégétique. Quant au niveau métadiégétique, on peut distinguer (au moins) deux catégories : celle où le narrateur *résume les actions marquantes* au début de chaque chapitre, selon la convention du XVIIIᵉ siècle : *Candide, L'Ingénu, Les Bijoux indiscrets* sont des exemples caractéristiques ; celle où l'auteur intercale systématiquement des remarques *métanarratives* : je pense à Fielding, par exemple, qui ajoute de telles observations au début de chaque partie de *Tom Jones*.

spécificité de ce discours, sur son statut communicatif et référentiel ainsi que sur ses possibilités combinatoires et donc sur son mode de fonctionnement. Il va être question également d'*intra*textualité, non au sens strict de réécriture, d'intertextualité restreinte ni d'intertextualité autarcique [4], mais seront désignés par ce terme les rapports qu'entretient le texte théâtral avec lui-même, les manières dont les didascalies *se réfèrent* au texte prononcé, qu'elles complètent, qu'elles expliquent, qu'elles éclaircissent. Parfois, bien entendu, on peut assimiler le discours didascalique à la fonction métalinguistique selon l'acception jakobsonienne, mais il convient de rappeler que les didascalies qualifient le plus souvent non l'énoncé mais les conditions matérielles de l'énonciation, telles que les envisage au stade de l'émission, l'auteur.

Metteurs en scène, professeurs, étudiants, personnes cultivées, nous *lisons* le théâtre, qu'on le veuille ou non. Même si nous préférons aller voir le spectacle, le texte est néanmoins l'élément qui reste : notre patrimoine culturel est transmis par l'écrit — *scripta manent*, etc. Enfants spirituels de Gutenberg, nous avons beau résister à l'empire de l'imprimé... Mais si la lecture du théâtre s'impose, lit-on ces textes de façon particulière ou différente ? A en croire certains spécialistes, une telle lecture n'a rien de particulier : voici ce qu'en pense un ancien du Cercle de Prague, Jiří Veltruský :

> ... all plays, not only closet plays, are read by the public in the same way as poems and novels. The reader has neither the actors nor the stage but only language in front of him... [5]

Je précise tout de suite que je m'inscrirai en faux contre ce postulat, et cela pour plusieurs raisons. D'abord, le texte théâtral n'est pas semblable à tous points de vue au texte romanesque ou poétique, bien que le lecteur se trouve dans tous les cas devant un phénomène écrit. Les systèmes de référence et d'énonciation ne sont pas les mêmes. Dans le roman, tout comme en poésie, l'auteur peut toujours s'effacer, le *je* étant attribué à autrui ; au théâtre, si le dramaturge donne à ses personnages, à ses acteurs, la parole, sa propre voix est toujours présente, ne serait-ce qu'en mode mineur, dans les didascalies. La convention typographique

---

4. Voir l'article de L. Dällenbach, « Intertexte et autotexte », *Poétique* 27 (1976), 282-296.
5. Jiří Veltruský, *Drama as Literature* , Lisse, Peter de Ridder Press, 1977, pp. 8-9.

de l'italique marque, spécifiquement dans le texte, cette distinction. Ainsi, si l'italique chez un Flaubert, dans *Madame Bovary*, veut dire : « ce n'est pas moi, Gustave, qui le dis, » l'italique de l'énoncé didascalique signifie au contraire : « c'est bien moi, auteur dramatique, qui le dis... » De ces remarques il ressort que, contrairement aux autres discours littéraires, le texte théâtral est, pour ainsi dire, *stéréophonique*, puisqu'il comporte deux canaux, autrement dit, une double énonciation : celle du dramaturge, celle des comédiens.

Qui dit *texte* différent, dit *lecture* différente. Aussi le but accessoire de ce chapitre sera-t-il d'éclaircir le mode de lecture du texte théâtral, qui est influencé, orienté même, par cette couche secondaire qu'on appelle les didascalies.

Avant d'en venir aux didascalies proprement dites, quelques remarques s'imposent en ce qui concerne la spécificité du texte théâtral. S'il est « stéréophonique » du point de vue de la lecture, il comporte une couche principale destinée à être dite sur le plateau, et une couche secondaire, le plus souvent subordonnée à la première, dont elle constitue une sorte de commentaire. Le statut communicatif (et sémiotique) des deux est tout à fait distinct, étant donné que les destinateurs ne sont pas les mêmes, sans parler des destinataires, différents eux aussi. Tout ce que disent les comédiens correspond à des énoncés empruntés à tel archiénonciateur (l'auteur) qui, lui, attribue des propos à tel personnage fictif dont l'identité scénique n'est pas stable. Une loi fondamentale régit le discours du locuteur sur le plateau : « Je est un autre ». La scène, c'est-à-dire l'aire de l'énonciation fictive, constitue le cadre (le *frame* selon la terminologie de Goffman [6]) qui s'approprie les énoncés, situant ainsi toute énonciation sous la rubrique du discours non vrai, donné à écouter, mais non conçu pour agir sur tel allocutaire (spectateur) grâce à une fonction perlocutoire [7]. Ainsi, lorsqu'Othello est sur le point d'assassiner Desdémone, personne ne quittera sa place pour l'empêcher (sauf en Alabama, peut-être !) et personne ne sortira de la salle pour

---

6. Erving Goffman, *Frame Analysis*, Harmondsworth, Penguin Books, 1975, voir en particulier pp. 124-155 : « The Theatrical Frame ». A consulter également sur la question du cadre fictif l'ouvrage très suggestif de Barbara Herrnstein Smith, *On the Margins of Discourse*, Chicago & Londres, University of Chicago Press, 1978, passim.
7. J'emploie ce terme, bien entendu, selon l'acception de J. Searle in *Speech Acts. An Essay in the Philosophy of Language*, Cambridge, Cambridge University Press, 1969.

appeler la police ! Au théâtre donc, un quasi-dialogue est adressé au quasi-destinataire multiple : comédiens sur le plateau, public dans la salle.

Pourtant si l'auteur cède en quelque sorte à autrui son rôle d'énonciateur dans le dialogue, sa voix est toujours présente dans les indications scéniques, bien que celles-ci, transformées, incorporées à la mise en scène, soient absentes à titre de *texte*, lors de la représentation. Précisons que les destinataires de cette voix de l'auteur sont multiples, car les didascalies se destinent après tout tant au metteur en scène qu'aux acteurs et aux lecteurs. Les didascalies ont aussi une autre fonction : celle d'un méta-texte. Étant normalement subordonnées au dialogue, leur rôle consiste à le commenter, à l'éclaircir. N'oublions pas toutefois que ce commentaire porte plutôt sur l'énonciation visée que sur les énoncés. Bref, les didascalies sont dans une certaine mesure l'équivalent théâtral de la fonction métanarrative du discours romanesque [8]. Mais si la fonction métanarrative se manifeste parfois dans le roman, les didascalies sont obligatoirement présentes dans le texte théâtral, ne serait-ce que dans l'indication des noms des personnages, du lieu scénique, etc. Quant aux limites mêmes de la régie, deux cas concrets montrent les pôles extrêmes et oppositifs : celui de Racine, celui de Beckett. Dans *Phèdre*, les didascalies (autres que les noms de personnages) sont rarissimes, se limitant à une indication sur le lieu scénique — « la scène est à Trézène » —, à deux ou trois annotations sur les conditions de l'énonciation sur le modèle : « X, seul » et à une seule indication sur un mouvement, capital, de Phèdre, qui s'assied. Chez Beckett, au contraire, dans *Acte sans paroles* (I et II) les didascalies chassent le dialogue, ce dernier étant entièrement absent, ce qui, chose exceptionnelle, accorde aux indications scéniques une place de choix. Tout cela revient à dire que le rôle attribué aux didascalies est assez variable ; inutile d'ajouter que là où les indications scéniques ne sont pas fournies de façon explicite, elles sont à déduire par le metteur en scène, par le lecteur, à partir de la logique du texte tout comme à partir des allusions contenues dans le dialogue.

---

8. Sur la fonction métanarrative, dans le discours romanesque, voir la mise au point de G. Genette dans *Figures III* (Paris, Seuil, 1972), pp. 261-2.

Considérons à présent les différents types de didascalies. On peut distinguer, il me semble, quatre espèces. Il y a tout d'abord ce que je nommerai le hors-texte didascalique : préfaces de Racine, examens de Corneille, dont le but consiste essentiellement à commenter le *sujet* de telle pièce par opposition à sa *fable* (pour employer la terminologie des Formalistes russes.) C'est dire que les remarques de Corneille et de Racine concernent le niveau actantiel de leur théâtre et les modifications par eux portées à leurs sources diverses. Le théâtre moderne présente deux variantes de ce modèle : qu'il s'agisse d'un prétexte à un discours idéologique sur tel problème politique ou social : à ce propos l'exemple évident serait George Bernard Shaw. Celui-ci consacre, par exemple, une centaine de pages dans la Préface du *Doctor's Dilemma* à toute une discussion sur les soins médicaux, sur la déontologie, sur les abus. Ces préfaces de Shaw, souvent très développées [9], ne concernent qu'indirectement notre propos : étant à proprement parler des hors-textes, elles ne font pas partie intégrante des textes dramatiques. L'autre cas est celui des annotations d'auteur concernant non le sujet d'une pièce mais sa *mise en scène* : différence donc essentielle entre les modernes et les tragiques de l'époque classique. L'exemple type serait Genet qui inclut dans le texte des *Bonnes* des observations intitulées : « Comment jouer les *Bonnes* (et des propos liminaires semblables dans *Les Nègres* et dans *Le Balcon*). Contrairement donc à Racine et à Corneille, Genet insiste sur le jeu, au point même de préciser la diction voulue, d'où les remarques comme celle-ci :

> Les actrices ne doivent pas monter sur la scène avec leur érotisme naturel, imiter des dames de cinéma. L'érotisme individuel, au théâtre, ravale la représentation. Les actrices sont donc priées, comme disent les Grecs, de ne pas poser leur con sur la table.[...] [10].

ou encore (même pièce) :

---

9. Cf. aussi p. ex. *Arms and the Man* (*The Bodley Head Bernard Shaw Collected Plays with their Prefaces*, t.1, London, Sydney & Toronto, The Bodley Head, 1970), préface : pp. 371-385 ; *Getting Married*, même édition, t. 3, 1971 ; préface : pp. 452-545 ; *The Shewing-up of Blanco Posnet* : *A Sermon in Crude Melodrama*, même édition, t. 3 ; préface : pp. 673-762 ; *Saint Joan*, même édition, t. 6, 1973 ; préface : pp. 13-79 ; *The Apple Cart*, même édition, t. 6 ; préface : pp. 249-279 ; (etc.)

10. *Les Bonnes*, Paris, L'Arbalète, 1963, p. 9.

Quant aux passages soi-disant « poétiques », ils seront dits comme une évidence, comme lorsqu'un chauffeur de taxi parisien invente sur le champ une métaphore argotique : elle va de soi. Elle s'énonce comme le résultat d'une opération mathématique : sans chaleur particulière. La dire même un peu plus froidement que le reste [11].

Si j'ai rangé ces exemples sous la rubrique « hors-texte didascalique », c'est qu'ils ne sont pas (à l'exception, peut-être, des cas comme celui de Genet) vraiment des didascalies. Le plus souvent, ils ont le même statut que n'importe quel hors-texte écrit par l'auteur d'une pièce, qu'il s'agisse de propos rédigés après coup ou d'interviews comme chez Ionesco dans *Notes et contre-notes*.

Le second type de didascalies pourrait se nommer *didascalies autonomes*, et cela, soit parce qu'elles sont explicitement destinées à la *lecture*, étant en fait de fausses indications scéniques non conçues pour orienter la mise en scène ni pour éclaircir les nuances du dialogue, soit parce qu'elles entretiennent avec le dialogue un rapport contradictoire. Voici deux exemples humoristiques, l'un anglais, l'autre français. Je relève l'exemple anglais dans *The Doctor's Dilemma* :

Redpenny is interrupted by the entrance of an old serving-woman who has never known the cares, the preoccupations, the responsibilities, jealousies, and anxieties of personal beauty. She has the complexion of a never washed gypsy, incurable by any detergent ; and she has, not a regular beard and moustaches, which could at least be trimmed and waxed into masculine presentableness, but a whole crop of small beards and moustaches, mostly springing from moles all over her face. She carries a duster and toddles about meddlesomely, spying out dust so diligently that whilst she is flicking off one speck she is already looking elsewhere for another. In conversation, she has the same trick, hardly ever looking at the person she is addressing except when she is excited. She has only one manner, and that is the manner of an old family nurse to a child just after it has learnt to walk. She has used her ugliness to secure indulgences unattainable by Cleopatra or Fair Rosamund, and has the further great advantage over them that age increases her qualification instead of impairing it [12].

Est-il besoin de faire remarquer qu'un tel passage présuppose la *lecture* et pourrait même figurer dans un roman, la plupart de

---

11. Idem, p. 9.
12. *The Bodley Head Bernard Shaw Collected Plays with their Prefaces*, t. 3, (London, Sydney & Toronto, The Bodley Head, 1971), pp. 321-2.

ces indications étant certes pittoresques mais non indispensables à la mise en scène.

L'exemple français, trop connu de tous, est extrait de *La Cantatrice chauve*, il s'agit d'une didascalie parodique :

> Intérieur bourgeois anglais, avec des fauteuils anglais. Soirée anglaise. M. Smith, Anglais, dans son fauteuil anglais et ses pantoufles anglaises, fume sa pipe anglaise et lit un journal anglais, près d'un feu anglais. Il a des lunettes anglaises, une petite moustache grise, anglaise. A côté de lui, dans un autre fauteuil anglais, Mme Smith, anglaise, raccommode des chaussettes anglaises. Un long moment de silence anglais. La pendule anglaise frappe dix-sept coups anglais [13].

Soit encore cet exemple, relevé dans la même pièce de Ionesco :

> Un autre moment de silence. La pendule sonne sept fois. Silence. La pendule sonne trois fois. Silence. La pendule ne sonne aucune fois [14].

Textes dont le comique est réservé au lecteur, car ils disparaissent totalement dans la mise en scène. Parfois même c'est le comique intratextuel, c'est-à-dire celui qui découle du rapport entre la didascalie et le dialogue, qui s'adresse exclusivement au lecteur (plutôt qu'au spectateur) comme dans cet exemple que l'on trouve chez Jarry dans *Ubu roi* :

> Père Ubu — Et maintenant, je vais foutre le camp.

réplique qui est immédiatement suivie de cette indication farcesque : « *Il tombe en se retournant* [15]. »

Il existe d'autres types de didascalies autonomes, libérées des contraintes référentielles du dialogue, utilisées surtout à des fins humoristiques, et donc conçues également en vue de la lecture. Les pièces de Ring Lardner fournissent de nombreux exemples, qu'il s'agisse de remarques ludiques placées en sous-titre, comme c'est le cas dans *The Tridget of Greva*, qui est censé être « Transla-

---

13. Eugène Ionesco, *Théâtre I*, (Paris, Gallimard, 1954), p. 19.

14. Idem, p. 22. Il s'agit, bien entendu, d'une technique qui consiste à vider de leur contenu sémantique certains signifiants. J'ai tenté d'analyser des exemples analogues relevés dans *Jacques ou la soumission* dans : « Métaphore et métamorphose dans *Jacques ou la soumission* », *French Review*, Vol. XLVIII, No 1 (October 1974), 108-118.

15. Alfred Jarry, *Ubu roi* in *Tout Ubu*, Paris, Le Livre de poche, 1962, p. 47.

ted from the Squinch [16] ou dans *Taxidea Americana* qui est
« *Translated from the Mastoid* » [17] ou d'énoncés surréalistes de ce
genre relevés dans *Abend di Anni Nouveau* concernant le garçon
de café qui entre en scène à cheval et qui « tethers his mount and
lies down on the hors-d'œuvres [18] ». Dans *Quadroon*, du même
auteur, (« A play in four pelts which may all be attended in one
day or missed in a group ») [19] on relève à la fin du texte cette
didascalie sympathique qui est sans le moindre rapport avec le
dialogue qui précède : « *Leave your ticket with an usher and your
car will come right to your seat* » [20]. » (!)

Ces didascalies autonomes s'apparentent aux notations (verbales) figurant, par exemple, sur la partition des *Gnosiennes* d'Erik
Satie. On relève dans les trois premières ce genre d'indications
ludiques : « sur la langue » ; « ne sortez pas » ; « munissez-vous
de clairvoyance » ; « ouvrez la tête »... destinées, semble-t-il,
avant tout à la lecture, puisqu'elles ne fournissent pas de renseignements utiles au pianiste.

Ainsi les didascalies autonomes, n'étant pas subordonnées au
dialogue, selon la norme, présupposent la lecture qui, en ces cas,
est privilégiée par rapport à la mise en scène. Si les didascalies
peuvent donc être tantôt « libérées », elles sont aussi tantôt en
pleine contradiction avec le dialogue. Bien entendu il ne s'agit
pas d'une pratique très courante —elle est plutôt parodique —
mais dans de tels cas, les didascalies se conforment à un mode de
référence (énonciation de l'auteur) tandis que le dialogue (énonciation des personnages) en respecte un autre. D'où cet exemple
relevé dans *Les Chaises* de Ionesco où le Vieux dit à la Vieille :
« Bois ton thé, Sémiramis », et les didascalies de préciser aussitôt : « *Il n'y a pas de thé, évidemment* [21] ».

Reste enfin en plus de ces types de didascalies, une dernière
catégorie plus rare que les autres : il s'agit de ces indications
scéniques « illisibles » en raison de leur technicité lexicale, qui
s'adressent donc exclusivement au régisseur et au metteur en

---

16. *The Tridget of Greva* in *Theatre Experiment. An Anthology of American Plays*, (Ed. Michael Benedikt), New York, Anchor Books, 1968, pp. 48-56.
17. *Taxidea Americana* in *The Ring Lardner Reader* (Ed. Maxwell Geismar), New York, Scribner's, 1963, pp. 621-623.
18. In *The Ring Lardner Reader*, pp. 618-20.
19. In *The Ring Lardner Reader*, pp. 603-8.
20. *The Ring Lardner Reader*, p. 608.
21. E. Ionesco, *Théâtre I*, p. 133.

scène. Le théâtre de Beckett nous offre quelques exemples ; en voici deux, le premier extrait de *Comédie*, le second de *Eh Joe* :

> (1) Le projecteur s'éteint. Noir. Cinq secondes. Faibles projecteurs simultanément sur les trois visages. Voix faibles. F.1, F.2, H. ensemble. Chœur du début. Reprendre la pièce [22].

Le second exemple est encore plus technique lexicalement :

> (2) Joe's opening movements followed by camera at constant remove, Joe full length in frame throughout. No need to record room as whole. After this opening pursuit, between first and final close-up of face, camera has nine slight moves in towards face, say four inches each time. Each move is stopped by voice resuming, never camera move and voice together. This would give position of camera when dolly stopped by first word of text as one yard from maximum close-up of face... [23]

Même si l'on peut comprendre grosso modo de quoi il s'agit, il est évident que le lecteur implicite (le destinataire) de ces textes est en premier lieu le technicien.

Hors-texte didascaliques, didascalies autonomes, didascalies techniques : à ces trois catégories il faudrait bien entendu ajouter, pour être complet, la catégorie la plus courante : celle des didascalies « normales », destinées tant au metteur en scène qu'au grand public. Ce sont les indications scéniques que l'on relève dans n'importe quelle pièce de théâtre et qui ne définissent en rien leur lecteur virtuel, celui-ci étant n'importe qui. Inutile d'en donner des exemples ici, car je me propose à présent d'examiner en détail cette catégorie dans une analyse du discours didascalique en tant que tel.

Reste à considérer les diverses *fonctions* des didascalies. Tout d'abord, le texte théâtral (même racinien) fournit toujours l'identité de l'énonciateur avec ou sans renseignements complémentaires : c'est ce qu'on pourrait nommer la fonction *nominative*. Dans les farces, cet élément peut être repris dans le dialogue, où le nom

---

22. Samuel Beckett, *Comédie*, Paris, Minuit, 1966, p. 33.

23. Samuel Beckett, *Eh Joe* (A Television play) in *Cascando and other short Dramatic Pieces*, New York, Grove Press, 1967, p. 35.

propre peut désigner en même temps les attributs de celui qui le
porte. Ainsi chez Courteline, dans *Un client sérieux* [24], l'avocat
nommé Barbemolle, l'accusé Mapipe (avant qu'il ne la casse !) le
substitut Mépié (qui, avec un nom pareil, ne peut guère être
brillant...). Dans *Boubouroche* [25], on rencontre dans un café des
consommateurs s'appelant Roth et Fouettard. Chez Ring
Lardner, ce sont les indications absurdes accompagnant les noms
propres qui sont particulièrement hilarantes ; ainsi dans *I Gaspiri
(The Upholsterers)* [26], la distribution suivante :

Ian Obri,	a blotter salesman
Johan Wasper,	his wife
Greta,	their daughter
Herbert Swope,	a nonentity
Ffena,	their daughter, later their wife
Egso,	a pencil guster
Tono,	a typical wastebasket

Distribution anarchique et parodique, car est-il besoin de préciser qu'*aucun* de ces personnages pittoresques ne figure dans la
pièce qui suit. Ce sont là, bien entendu, des didascalies autonomes... Dans le cas de jeux sur le nom propre, celui qui porte le
nom, l'énonciateur (s'il paraît sur scène) est ridiculisé, et implicitement ses énoncés le sont aussi, étant attribués à un locuteur
(devenu) absurde.

Si les didascalies désignent celui ou celle qui parle, elles indi-
quent aussi celui à qui l'on s'adresse : la deuxième fonction est
celle que j'appellerai *destinatrice*, correspondant aux énoncés du
type : « X à Y » ou « X, seul » et parfois, « X, à part ». De toutes
les fonctions du discours didascalique, Racine utilise celle-ci le
plus souvent [27].

L'énoncé théâtral étant souvent ambigu ou polysémique, l'une
des fonctions primordiales de la régie est celle qui consiste à
décrire le *comment* de l'énonciation prévue, l'intonation et l'atti-

---

24. Georges Courteline, *Un client sérieux*, Paris, Flammarion (« Le Livre de
poche »), 1967.
25. *Boubouroche* in G. Courteline, *Théâtre*, Paris, Garnier-Flammarion, 1965,
pp. 21-51.
26. *The Ring Lardner Reader*, p. 601.
27. Je fais abstraction, bien entendu, de la fonction nominative. Dans l'ensemble du théâtre de Racine, on relève 96 annotations de ce genre, par opposition à
34 correspondant à la fonction mélodique, par exemple.

tude du locuteur, ce qu'on pourrait nommer la fonction *mélodique*. Le modèle habituel se compose du nom propre, suivi d'un adjectif, d'un adverbe, d'une locution adverbiale. Les exemples foisonnent surtout dans le théâtre des XIX et XXᵉ siècles, où les annotations sont souvent fréquentes et détaillées. Ainsi on peut relever, par exemple, dans une seule pièce, assez brève, de Courteline, *Boubouroche*, les indications suivantes correspondant toutes à cette même fonction : X +

> agacé ; effaré ; conciliant ; désolé ; intraitable ; navré ; humble ; à demi-voix ; amer ; au comble de la gloire ; discret ; engageant ; étonné ; lyrique ; très simplement ; attendri ; à mi-voix ; blessé ; ahuri ; embarrassé ; avec une extrême politesse ; surpris ; vaguement inquiet ; très aimable ; anxieux ; très ému, très affirmatif ; stupéfait ; vexé ; abasourdi ; troublé ; convaincu ; les larmes aux yeux ; éclatant en sanglots ; d'une voix étranglée ; tendrement ému... [28]

A cela, il serait sans doute inutile d'ajouter que lorsque le relevé correspond à une série désignant le parler d'un même personnage, comme c'est le cas ici, elle constitue presque une fiche signalétique de l'évolution et des étapes principales de l'action théâtrale. De ce trait stylistique on peut également tirer parfois des conclusions sur la forme théâtrale telle qu'elle est utilisée dans l'ensemble d'un texte, car une profusion d'indications de ce genre est bien entendu la marque d'une forme dramatique populaire : mélodrame ou farce.

De telles didascalies concernent la fonction mélodique du point de vue de l'*émission*. Ces informations sont parfois complétées par des précisions portant sur la *réception* et, en ce cas, correspondent à des énoncés sommaires du type : « Rires », comme dans cet exemple extrait de *La Peur des coups* de Courteline, où un mari est en train de réprimander sa femme en raison de son infidélité :

---

28. G. Courteline, *Boubouroche* in *Théâtre*, passim.

LUI — Tu es plus bête qu'un troupeau d'oies :

(*Rires de Madame* [29].)

*
**

Aux trois fonctions verbales du discours didascalique : nominative, destinatrice et mélodique, il convient d'ajouter une quatrième, que je nommerai la fonction *locative*. Il s'agit de celle qui fournit des précisions sur le lieu scénique où doit s'accomplir l'acte de parole. Or, cette fonction est bien localisable dans le texte, dans la mesure où sa partie essentielle figure le plus souvent soit au début du texte (avant le dialogue) s'il s'agit d'une pièce à décor unique, soit au début de l'acte si la pièce contient plusieurs changements de décor. Voici le modèle, relevé chez Labiche, dans *La Femme qui perd ses jarretières* :

> Un salon octogone. Porte au fond, portes latérales, une fenêtre à droite dans l'angle. A l'angle de gauche, un grand portrait d'homme accroché au mur ; sous le portrait, une console ; guéridon à droite au premier plan ; table à gauche, au premier plan [30].

---

29. G. Courteline, *La Peur des coups* in *Théâtre*, pp. 53-63. Précisons que la réception peut être de deux sortes : verbale et non verbale. Si elle est verbale, le texte comportera bien entendu une réplique ; si elle est non verbale, il s'agira d'une didascalie portant sur l'attitude du personnage allocutaire : émotion manifeste (rires, larmes, etc.) mimique ou geste. Voici d'autres exemples (de la réception non verbalisée) relevés chez Françoise Loranger dans *Double jeu* (Ottawa, Leméac, 1969) :

— Personne ne lui prête attention. Sa phrase tombe à plat, dans le désert ;

— Rires de la classe. Ces rires sont nerveux, viennent de gens mal à l'aise devant les situations évoquées ou les mots employés ;

— A cette question, tous se figent. Ils étaient prêts à discuter mais non à agir. Silence gêné.

— Impressionnée un instant par le ton du professeur. Elle réagit.

Il faudrait également évoquer sous la rubrique de la fonction mélodique les bruitages, ceux-ci ayant surtout dans le théâtre du XXe siècle un rôle souvent important. Est-il besoin de rappeler que les bruitages sont mis en valeur dans certaines pièces radiophoniques où ils peuvent remplacer, sur le plan sonore, la fonction locative. Cf. ici chapitre 6.

30. Labiche, *La Femme qui perd ses jarretières* in Labiche, *Théâtre II*, Paris, Garnier-Flammarion, 1979, pp. 167-203.

Description d'habitude sommaire, précisant la forme générale du décor et son contenu essentiel : meubles et accessoires. Mais parfois, comme chez Feydeau, comme chez Shaw, la fonction locative correspond à une description détaillée — je pense à *La Puce à l'oreille*, par exemple, — didascalies qui se rapprochent de mainte scène du nouveau roman... [31]

(Sous cette rubrique il faudrait évoquer aussi les renseignements sur l'éclairage, plus rares dans les textes d'avant le XXe siècle, les possibilités techniques n'étant pas autrefois ce qu'elles sont aujourd'hui. Aussi sont-ils, dans bon nombre de pièces, remplacés par les indications sur l'heure de la journée, de la soirée, etc. Cette catégorie pourrait se nommer la fonction scénographique. J'en parle ainsi au passage, car cette catégorie ne concerne que très indirectement mon propos).

Nous venons donc de passer en revue l'ensemble des fonctions *verbales* des didascalies : nominative, destinatrice, mélodique et locative. Restent les fonctions visuelles, qui concernent soit le jeu de l'acteur : geste, mimique, mouvement, soit son apparence physique : costume, maquillage, coiffure. Mes remarques sur ces éléments demeureront succintes, car ils ne sont pas à proprement parler des *fonctions* , mais des *codes visuels* , qu'on pourrait regrouper tous sous la rubrique de la fonction scénographique.

Commençons par le mouvement et le geste, autrement dit le code kinésique. On peut distinguer grosso modo deux catégories : le geste et le mouvement qui remplacent la parole, ceux qui l'accompagnent. Voici un exemple relevé dans une farce érotique, récemment réimprimée, de Lemercier de Neuville, intitulée — titre évidemment parodique — *Les Jeux de l'amour et du bazar* [32]. Les didascalies indiquant le mouvement et le geste remplacent la parole. Il s'agit d'une maquerelle nommée Sylvia :

> Celle-ci, une fois entrée, relève la mèche de la lampe posée sur la cheminée, mais pas trop cependant, afin de ne pas trahir son

31. G. Feydeau, *La Puce à l'oreille*, Paris, Éditions du Bélier (« Le livre de poche ») 1949, pp. 11-12.
32. Louis Lemercier de Neuville, *Les Jeux de l'amour et du bazar* in *Le Théâtre érotique du XIXe siècle*, Paris, Éditions Jean-Claude Lattès (Collection « Les classiques interdits »), 1979, pp. 87-109.

maquillage. Ce soin pris, elle se rapproche de Dorante et lui passe
à plusieurs reprises la main sous l'entre-jambes, pour entretenir le
feu qu'elle pense avoir allumé [33].

Exemple qui s'oppose à celui-ci, extrait de la même pièce, où le
geste *accompagne* la parole. (Sylvia s'adresse à Dorante) :

Je serai bien gentille... bien cochonne... Veux-tu ! Viens !
(*Elle lui prend tendrement le bras* [34]).

Les mêmes observations s'appliquent aux didascalies de mimique, qui peuvent soit remplacer, soit accompagner la parole.
Inutile d'ajouter que si elles accompagnent la parole, elles constituent une sorte de glose ou d'éclaircissement du sens.

Enfin, les didascalies *vestimentaires* contribuent bien entendu,
dans le théâtre traditionnel, à la caractérisation, comme le montre
cet exemple, extrait lui aussi des *Jeux de l'amour et du bazar*. Les
indications concernent l'habillement de Sylvia :

*Elle est maquillée et attifée avec ces étoffes voyantes qu'affectionnent
les filles pour se faire mieux remarquer des hommes...* [35]

Ailleurs, la combinatoire qui se manifeste est la suivante : cos-
tume/mouvement, comme dans cet exemple que l'on relève chez
Courteline dans *La Peur des coups* :

ELLE, *assise près du lit et commençant à se dévêtir...* [36]

Quant aux autres possibilités combinatoires du discours didascalique, n'oublions pas que les éléments du décor (meubles, accessoires) sont souvent prétexte à des indications de *mouvement*
ainsi qu'à des gestes. D'autre part, le code verbal principal — le
dialogue — peut toujours se référer explicitement à des éléments
du discours didascalique (c'est l'inverse du discours didascalique
mis en conflit référentiel avec le dialogue) et en ce cas, c'est le
référent didascalique qui est mis en valeur, du moins pour le
lecteur du texte théâtral. Voici un exemple extrait d'une situation
loufoque de Courteline où la parole anticipe le geste auquel elle

---

33. *Le Théâtre érotique du* XIXᵉ *siècle*, p. 93.
34. Idem, p. 93.
35. Idem, p. 88.
36. G. Courteline, *La Peur des coups* in *Théâtre*, Paris, Garnier-Flammarion,
1965, p. 55.

se réfère. Il s'agit d'un couple qui se bat à cause de l'infidélité de la femme :

> Elle — Oh ! Je connais l'ordre et la marche. Dans un instant je me serai conduite comme une fille, dans deux minutes, tu m'appelleras sale bête ; dans cinq tu casseras quelque chose. C'est réglé comme un protocole — Et pendant que j'y pense...
>
> (*Elle va à la cheminée, y prend une poterie ébréchée qu'elle dépose sur un guéridon à portée du bras de Monsieur*)... Je te recommande ce petit vase [...].
>
> (*Monsieur, furieux, envoie l'objet à la volée à l'autre extrémité de la pièce* [37].)

Concluons. Ô didascalie, dis-moi ce que tu lis, je te dirai qui tu es... Des remarques qui précèdent il devrait ressortir que les didascalies, élément capital du texte théâtral tant pour le lecteur que pour le metteur en scène, ne sont que parfois dotées d'une fonction de métalangue car, nous l'avons vu, le discours didascalique est soit (normalement) subordonné au dialogue, dans le cas de ses fonctions *verbales* (nominative, destinatrice, mélodique et locative), soit autonome, dans le cas de ses fonctions *visuelles*. Les fonctions visuelles du discours didascalique *ne se réfèrent pas* à un autre *discours* : il s'agit tout simplement d'une information sur un *code* parallèle : kinésique, gestuel, vestimentaire, physionomique, scénographique. Encore faut-il préciser que ces cinq codes eux-mêmes peuvent ou non être subordonnés à l'autre couche verbale du texte : celle du dialogue. Ils accompagnent le dialogue, lui étant complémentaires, ou bien ils demeurent autonomes lorsqu'ils remplacent le code verbal. On peut donc conclure que les fonctions verbales du discours didascalique correspondant aux quatre questions fondamentales : qui parle ? à qui parle-t-on ? comment ? où ? sont subordonnées au *dialogue*, tandis que les codes visuels désignés par les didascalies peuvent, à moins d'être référés dans le texte prononcé, jouir d'une certaine autonomie, orientant donc moins notre lecture du texte théâtral.

---

37. Idem, p. 55.

4

INTERTEXTUALITÉS THÉÂTRALES

L'intertextualité exerce une contrainte majeure sur le fonctionnement du discours théâtral, s'associe étroitement, nous l'avons vu, à l'énonciation ainsi qu'à la référence. Il va sans dire que le seul problème de l'intertextualité théâtrale mériterait tout un livre. Sans vouloir répéter les travaux antérieurs sur le problème général de l'intertextualité, il s'agira ici de poser des jalons, en mettant surtout en relief la spécificité de l'intertextualité *au théâtre* ce qui, en d'autres termes, distingue le phénomène oral de ses formes écrites.

Or, le *titre* d'une pièce de théâtre constitue, en quelque sorte, le lieu privilégié de l'intertextualité théâtrale, un premier panneau indicateur, bien qu'il ne soit pas, en tant que tel, particulier au domaine théâtral. Il conviendra donc de prendre comme point de départ ce microcosme ; il s'agira par la suite de poursuivre l'enquête en prenant comme corpus l'ensemble d'une pièce, avant d'en venir à des considérations plus générales.

Le titre comme signal intertextuel.

Il sera donc d'abord question du signe minimal de l'intertextualité, du texte théâtral le plus bref, le plus concis : le titre. En effet, tout comme le roman, [1] le théâtre comporte une étiquette publicitaire (le titre) et un texte beaucoup plus long — son commentaire, en fait — le dialogue accompagné des didascalies. Or,

---

1. Sur les titres romanesques, voir Cl. Duchet, « *Le Fille abandonnée* et *La Bête humaine* : éléments de titrologie romanesque, » *Littérature* 12 (décembre 1973) pp. 49-73.

ce petit texte suggestif et alléchant à la fois est tantôt appelé à assurer un rôle plus complexe encore en véhiculant un contenu plus dense, dans le cas notamment de la *parodie théâtrale*. Par intertextualité théâtrale, il faut entendre ici le cas *obligatoire*, c'est-à-dire, pour emprunter une définition commode, là où « l'intertexte laisse dans le texte une trace indélébile, une constante formelle qui joue le rôle d'un impératif de lecture, et gouverne le déchiffrement du message dans ce qu'il a de littéraire... » [2] A ces critères j'ajouterai les catégories de Genette, allant de la citation, forme la plus simple, à ce qu'il nomme *l'hypertextualité*, par laquelle il entend « toute relation unissant un texte B (que j'appellerai *hypertexte*) à un texte antérieur A (que j'appellerai, bien sûr, *hypotexte*) sur lequel il se greffe d'une manière qui n'est pas celle du commentaire » [3]. Sont soulevées parallèlement ici deux questions donc (reliées d'ailleurs entre elles) : d'une part le *mécanisme* et ses signaux, de l'autre, la singularité de l'intertextualité *théâtrale*, questions qui ne sont pas sans pertinence à toute la problématique de l'oralité littéraire...

Or, le titre contient, en microcosme, tout le phénomène textuel que nous nous proposons d'examiner. (Il va de soi qu'il y aura lieu de distinguer, par la suite, entre intertextualité *restreinte* — la réécriture de tel énoncé d'un passage hypotextuel — et intertextualité *étendue* qui consiste en la reprise de gros segments plutôt que de micro-éléments d'un hypotexte. En ce cas la relation unissant les deux pièces de théâtre se situerait à un niveau autre que purement textuel, qui pourrait être thématique, actantiel, voire visuel).

Les titres que nous considérons se rapportent au cas de textes *réécrits dans leur ensemble* plutôt qu'à ceux de simples allusions partout disséminées. Nous avons donc affaire à un genre spécifique, la parodie théâtrale. Ce sont avant tout des pièces ludiques,

---

2. M. Riffaterre, « La Trace de l'intertexte, » *La Pensée* 215 (octobre 1980), p. 5. En ce qui concerne l'intertextualité voir notamment le numéro spécial de *Poétique* (N° 27, 1976 : surtout les articles de L. Jenny, L. Dällenbach et L.P. Moïses) ; J. Kristeva, *Semeiotikè. Recherches pour une sémanalyse*, Paris, Seuil, 1969 (en particulier pp. 113-142 ; 174-206) ; M. Riffaterre, *La Production du texte*, Paris, Seuil, 1979 ; Catherine Kerbrat-Orecchioni, *La Connotation*, Lyon, Presses Universitaires de Lyon, 1977 ; Ruth Amossy, *Les Jeux de l'allusion littéraire*, Neuchâtel, La Baconnière, 1980 ; J. Culler, « Presupposition and Intertextuality, » in *The Pursuit of Signs*, Londres, Routledge & Kegan Paul, 1981, pp. 100-118. Jusqu'à présent on semble avoir négligé la dimension, particulière au théâtre, de l'intertextualité *orale*, problème soulevé ici.

3. G. Genette, *Palimpsestes*, Paris, Seuil, 1982, pp. 11-12.

comiques, sinon farcesques, s'agissant normalement de tourner en dérision un texte relevé. L'auteur souvent obscur se moque d'un auteur célèbre. Autre caractéristique : le texte parodiant a tendance à être beaucoup plus bref que le texte parodié, se limitant dans de très nombreux cas à l'acte unique. Comique et concision sont donc complices... Enfin, la parodie s'écrit souvent très rapidement et peu après la création de la pièce-cible.

Pour le 19e siècle, nous disposons de renseignements fort utiles permettant de jeter les bases d'une poétique du titre théâtral. Il existe plusieurs répertoires, certains étant à peu près exhaustifs pour la production (du moins parisienne), notamment la série de Ch. Beaumont Wicks, qui répertorie quelques 20 000 titres de pièces montées à Paris de 1800 jusqu'à la fin du siècle. [4] D'autre part, S. Travers [5] a tenté de repérer les parodies théâtrales de la période 1789 à 1914 ; pour le 19e siècle son inventaire s'élève à un millier de titres. Le premier corpus permet, bien sûr, de contrôler diverses hypothèses en ce qui concerne la poétique du titre, la fréquence de certains termes ; le second, plus spécialisé, et donc plus directement pertinent à notre propos, fournit maint renseignement utile.

Le titre est en fait un texte double, comportant l'intitulé lui-même et un sous-titre. Si l'intitulé paraît ambigu, voire polysémique, le sous-titre lève le doute qu'on peut entretenir, même au risque parfois d'une certaine redondance :

> parodie ; édition fantaisiste ; imitation de X ; vaudeville-parodie ; folie-vaudeville ; imitation burlesque de X ; parodie-bouffe ; bouffonnerie ; parodie-vaudeville ; pot-pourri ; fantaisie-parodie ; folie, à propos burlesque et grivois ; parodie-parade...

tels sont des exemples de sous-titres « sérieux », couramment utilisés au dix-neuvième siècle ; on en relève d'autres, plus fantaisistes :

> parodie analytique, oblique parallèle et autre en 4 actes ; folie, bêtise, farce ou parade, comme on voudra, en prose ; parodie-blague en 7 tableaux, racontée par un titi blanc aux mariniers de

---

4. Ch. Beaumont Wicks, *The Parisian Stage. Alphabetical Indexes of Plays and Authors* University of Alabama Press, 1950-1979 [en quatre fascicules].

5. Seymour Travers, *Catalogue of Nineteenth Century French Theatrical Parodies [A Compilation of the Parodies between 1789 and 1914 of Which Any Record Was Found]*, New York, King's Crown Press, 1941.

de Bercy ; parodie électro-magnético-burlesco-féerico-dramatico-comique en 9 tableaux ; hilarodie...etc

Le plus souvent le sous-titre est donc un signal intertextuel tout à fait explicite.

Que la parodie est un genre fort prisé au dix-neuvième siècle, rien de plus évident d'après le relevé de S. Travers. Le succès d'une pièce de théâtre peut d'ailleurs souvent se mesurer à partir du nombre des versions parodiques qui l'ont suivie. Ainsi, par exemple, *Marie Tudor* de Victor Hugo a inspiré au moins neuf parodies différentes dont trois, peu après la création en 1833, et six lors de sa reprise en 1873 :

— *Marie-Crie-Fort*
— *Marie Dortu*
— *Marie Tudor*
— *Marie tu dors et Londres est dans les fers*
— *Marie, tu ronfles*
— *Marie, tu dors encore !*
— *Marie, Tu dors*
— *Marie tu dors ?*
— *Marie, dors-tu ?* [6]

Parallèlement, *Ruy Blas* et *Les Burgraves* ont été chacun parodié huit fois [7]. Qui dit parodie, dit dérision : ainsi la pièce parodiée au 19e siècle est le plus souvent une tragédie, un drame, un mélodrame. Parfois, cependant, la comédie ou même le vaudeville servent de cible. La grande réussite de Feydeau, *La Dame de chez Maxime,* a fourni l'inspiration à huit parodistes l'année de sa création (1899), et la pauvre dame en question subit diverses métamorphoses :

— *La Dame du St Maxime*
· — *La Demoiselle de chez Maxime*
— *Les Petites Femmes de chez Maxim*
— *Le Monsieur de chez Maxim*
— *La Dinde de chez Maxim*
— *La Môme de chez Maxim*
— *La Princesse de chez Maxim* [8]

---

6 Pour de plus amples renseignements sur ces versions, v. S. Travers, p. 59.
7. Cf. Travers, pp. 60 et pp. 57-58.
8. V. Travers, p. 47.

Revenons au titre en tant que tel et à son fonctionnement intertextuel. Le titre parodique, sous sa forme la plus élémentaire, se limite à la répétition, pure et simple, du titre de la pièce parodiée, selon le modèle que voici : *Le Passant* (de François Coppée) est récrit par P. Gavault sous le titre *Le Passant,* parodie en 1 acte et en vers... Nombreux sont les exemples ainsi conçus ; citons parmi les moins obscurs : *Carmen*, opéra-comique tiré de la nouvelle de Mérimée, par Meilhac et Halévy, avec une musique de Bizet (1875) a inspiré la parodie d'Albert Chanay sous un titre identique ; *La Lutte pour la vie* d'Alphonse Daudet devient *La Lutte pour la vie* dans la version parodique de Louis Morel-Rets, et ainsi de suite. Une variante du genre consiste à ajouter au titre parodique les mots « pour rire » : d'où *Nos intimes pour rire* de J. Moinaux inspiré par *Nos intimes* de Victorien Sardou. Il va de soi que lorsqu'on se sert, dans une parodie, d'un titre identique à celui du texte original, le sous-titre comporte obligatoirement la mention explicite : « parodie » ou l'une de ses variantes (déjà mentionnées). Enfin cette première catégorie n'est autre que le degré zéro du titre parodique. Elle correspond en fait à la forme la plus simple de l'intertextualité : celle de la citation, à savoir la citation qui n'est ni transformée, ni subvertie. Ce type de citation-répétition se manifeste, bien entendu, dans des segments plus importants du discours théâtral. Voilà ce que fait Labiche qui cite, pour mieux les tourner en dérision, des vers de Lamartine, dans sa parodie *Traversin et Couverture* ; voilà ce que fait Tom Stoppard, de façon encore plus provocante dans *Travesties*, quand il fait dire à un personnage tout un sonnet de Shakespeare, à un autre, déclarations politiques et lettres de Lénine ! [9]

Plus complexe que l'intertextualité-citation est l'intertextualité-transformation. Or, les titres se laissent transformer minutieusement, grâce tantôt à la substitution (ou à la suppression) d'un seul phonème, voyelle ou consonne, tantôt de celle d'une syllabe, voire d'un signifiant intégral. Ainsi *Un père prodigue* devient *Un père prodige ; Plus que reine* donne *Plus que raide* dans une version parodique et *Plus que sereine* dans un autre. *Le Paradis perdu* cède la place à *Le Radis perdu* et dans une seconde parodie devient *Le Parapluie perdu ! La Servante du roi* donne *La Servante du roué* (grâce à une amusante transformation archaïsante)... On relève sous cette rubrique, bien sûr, des centaines d'exemples ; en voici un bref échantillon, non dénué d'esprit :

---

9. Tom Stoppard, *Travesties*, Londres, Faber, 1975.

TEXTE PARODIÉ	TEXTE PARODIANT
La Haine	*La Gaine*
Une nuit de noces	*Une nuit de gosses*
Les Nuits de la Seine	*Le Lit de la Seine*
Les Étrangleurs	
de l'Inde	*Les Étrangleurs de dindes*
La Glu	*La Grue*
Patrie	*Poterie !*
Les Vieux Garçons	*Les Vieux Glaçons*

Le principe qui dicte le choix du titre de substitution n'a rien de complexe, la rime étant évidemment la ressource à laquelle ont recours la plupart des parodistes. Mais la substitution n'est jamais innocente ; elle est toujours subversive, suggestive, voire même scatologique. En revanche si la technique verbale mise en œuvre par le parodiste est simple, le rôle que doit jouer le titre l'est beaucoup moins. La tâche du parodiste est loin d'être facile : le public est censé, après tout, pouvoir percevoir simultanément deux réalités : le texte parodiant et le texte parodié, le titre du premier étant chargé en même temps de l'attirer au théâtre. En parcourant les répertoires établis par Ch. Wicks, on s'aperçoit que le titre théâtral (abstraction faite de l'article défini) se limite fort souvent, du moins au 19e siècle, à trois ou à quatre mots seulement. Une contrainte analogue se manifeste de nos jours au cinéma : d'après les recherches récentes, la norme pour un titre de film est de trois à huit syllabes [10].

Enfin la catégorie titrologique de loin la plus riche (et sur le plan théorique, sans doute la plus suggestive) est celle du nom propre (déformé). Lorsqu'un titre (normal) comporte un nom propre, il acquiert un statut référentiel à trois étages : il renvoie au personnage protagoniste du texte littéraire) ; il renvoie au texte littéraire lui-même (dans notre cas à la pièce de théâtre) ; il renvoie également, s'il y a lieu, au personnage historique (réel ou mythique) porteur du nom propre. Il est évident qu'un tel système référentiel, dans toute son intéressante complexité, ne saurait résister à l'assaut ni à la subversion du jeu parodique. La déformation d'un nom propre attire notre attention surtout sur le vocable déformé (le signifiant), nous fait oublier la personne désignée (le référent). Ainsi, par exemple, si le titre de la parodie d'E. Martin,

---

10. Voir Groupe μ, « Rhétoriques particulières : Figure de l'argot, Titres de films, la clé des songes, les biographies de *Paris Match,* » *Communications* 16 (1970), pp. 70-124 et pp. 94-102 pour les titres de films.

Benvenuto Cellini ou : T'es venu trop tôt c'est fini, laisse voir, sans le déformer, le nom propre paraissant dans la version originale et s'abstient de supprimer la référence au sculpteur italien, *Taisez-vous* (parodie de Fr. Léger *et al*) cache peut-être intégralement le titre de la pièce parodiée qui s'intitule *Thésée* ! De même, il est fort possible que certains spectateurs au 19e siècle n'aient su décoder ce titre : *Le Jugement de Monsalo* pour rétablir le titre de départ : *Le Jugement de Salomon* (le sous-titre « vaudeville » n'indique pas explicitement la parodie). Dans un cas pareil on me dira sans doute qu'un tel intitulé sous sa forme parodique même, est surdéterminé, étant donné l'allusion biblique...

Pourtant si un titre, suivi de la mention « parodie », est déconstruit par un jeu de mots, la référence au personnage historique de l'hypotexte peut être partiellement gommée sinon oblitérée. C'est sans doute le cas du récit de Chateaubriand *Atala*, parodiée dans une version théâtrale intitulée : *Ah ! la, la ! ou le Vœu de ne pas danser...* Vraisemblablement, c'est le cas aussi de *Marie Tudor* de V. Hugo qui devient *Marie, tu ronfles* ainsi que de la tragédie de Casimir Delavigne, *Louis XI* devenue parodiquement : *Louis Bronze*. Toutefois dans ce dernier exemple il se peut que le titre caché, *Louis XI*, soit davantage déterminé sur le plan sémantique (en raison de toute la série de Louis) et donc moins effacé référentiellement par le jeu de mots.

La déformation du nom propre s'accompagne souvent, dans les parodies, de tout un système de *subversion de la référence au réel historique*. Ainsi, par exemple, lorsque Labiche parodie Lamartine (*Toussaint Louverture* se transforme en *Traversin et Couverture*) toute la dimension politique de la pièce de Lamartine, à commencer par le titre, est reléguée au second plan. Le problème politique de l'affranchissement des noirs, armature de la pièce de Lamartine, cède la place, chez Labiche, à la parodie des conventions théâtrales. Bref, ainsi qu'on le verra, l'extratextuel est chassé par l'intertextuel. Faut-il ajouter que tout cela se manifeste déjà, en germe, dans le titre parodique de Labiche. Les objets mentionnés dans son titre — traversins, couvertures — renvoient au *genre* de la farce, tout en expulsant le référent non verbal, *l'homme politique* haïtien, Toussaint Louverture.

Des remarques qui précèdent on peut conclure que le titre théâtral fonctionne comme un feu de signalisation intertextuelle. Il contient, sous une forme succincte, bon nombre des pratiques intertextuelles de la pièce de théâtre dont il est l'étiquette : citation tournée en dérision, subversion du référent historique ou politique, parodie de conventions ou de stéréotypes scéniques. Véritable carrefour de la référence, le titre parodique renvoie dans de nombreux sens à la fois : au texte qu'il nomme, au texte qu'il parodie, au genre théâtral dont il est une manifestation, aux conventions scéniques qu'il subvertit, et tantôt aussi à une personne, réelle ou mythique. Enfin si le titre est le texte le plus *bref* du discours théâtral, il peut être aussi le plus suggestif.

L'exemple de *Traversin et Couverture* de Labiche

Le *titre* correspond donc au cas simple de l'intertextualité ; tout comme l'énoncé isolé se trouvant à l'intérieur d'un texte littéraire, il s'agit d'identifier l'hypotexte permettant de déchiffrer le texte de subsitution. Le problème demeure relativement simple, le nombre et le type de mécanismes intertextuels, limités et faciles à repérer.

En revanche la réalité textuelle se complique lorsqu'il s'agit de *l'ensemble* d'un texte qui fait l'objet d'une transformation — le plus souvent c'est une parodie — et il convient à présent de déterminer les principes qui régissent son fonctionnement. Pour ce faire, on a retenu l'exemple d'une parodie de Lamartine faite par Labiche.

Le texte théâtral parodié intégralement pose en effet un problème particulier, car si le dramaturge tient à ce que l'intertexte soit saisi par son public, les signaux utilisés devront être plus explicites que dans un texte poétique ou romanesque. La vitesse du débit, la coprésence d'une multiplicité de systèmes de signes — verbaux, visuels, sonores — ne laissent guère le temps au spectateur contraint de suivre le tout simultanément. Lors d'une représentation (à la différence de la lecture), le spectateur doit accepter le rythme imposé : le spectacle se déroule implacablement, le spectateur ne peut revenir en arrière.

On peut relever chez Labiche maint exemple d'intertextualité (obligatoire). Ses premières pièces, *Monsieur de Coyllin, l'Avocat*

Loubet, furent inspirées par des nouvelles [11]. D'autres contiennent des allusions gréco-latines [12] ou de brèves références à Corneille et à Racine, notamment au récit de Théramène, celui-ci étant d'ailleurs souvent parodié au XIXe siècle [13]. Il existe aussi chez Labiche une pièce dans laquelle l'intertextualité est l'armature même sinon la raison d'être du texte : il s'agit d'une « folie en un acte » pour emprunter l'étiquette de l'auteur, intitulée *Une Tragédie chez Monsieur Grassot* [14]. C'est censé être une répétition, par les acteurs du Palais-Royal, de l'*Iphigénie* de Racine. Mais c'est en fait un jeu intertextuel tout à fait ludique, car la pièce est une véritable mosaïque de citations de *Phèdre*, d'*Athalie*, d'*Iphigénie* et de bon nombre de textes encore.

Mais l'exemple privilégié, pertinent à la fois au théâtre de Labiche et à celui de l'époque romantique au sens strict, est celui d'une pièce, peu connue, qui s'intitule *Traversin et Couverture* (1850) [15] : c'est une parodie — elle s'annonce comme telle — de *Toussaint Louverture* (1850) de Lamartine. Contrairement à la plupart des cas d'intertextualité chez notre vaudevilliste, il s'agit de la récriture de l'ensemble d'un texte plutôt que d'une série d'allusions. Faut-il ajouter que nous avons affaire à un exemple d'intertextualité obligatoire : le sous-titre signale la parodie.

Lamartine avait choisi comme propos de son « poème dramatique » un sujet, des personnages *historiques* [16]. Rappelons que

---

11. *Monsieur de Coyllin* (1938) s'inspire d'une nouvelle de Paul de Musset : « L'homme le plus poli de France et de Navarre, » parue le 4 février 1938 dans la *Revue de Paris*, pp. 5-20. [Ce texte fut repris par la suite in P. de Musset, *Les Originaux du XVIIe siècle*, Paris, Charpentier, 1848.] La pièce de Labiche a même provoqué un procès pour plagiat : P. de Musset obtint 300 fr. de dommages et intérêts ; cf. à ce sujet la notice de Gilbert Sigaux dans les *Oeuvres Complètes de Labiche*, Paris, Club de l'Honnête Homme, 1966, vol. 1, p. 371. *L'Avocat Loubet* reprend également une nouvelle, celle-ci de Mme Ch. Reybaud (publiée sous le pseudonyme de Henry Arnaud) dans la *Revue de Paris* en décembre 1836 (pp. 225-245) et en janvier 1837 (pp. 98-120).

12. Voir notamment *Les Suites d'un premier lit* (1852), *Le Misanthrope et l'Auvergnat* (1852), *Les Noces de Bouchencœur* (1857), *Deux merles blancs* (1858).

13. Cf. *Les Trente millions de Gladiator* (1875) : II, v (*Le Cid*) ; *Le Prix Martin* (1876) : I, xii (*Le Cid*) ; et les parodies du récit de Théramène dans : *Le Voyage de Monsieur Perrichon* (1860) : II, x et dans : *Les Chemins de fer* (1867) : II, vi. Cf. à ce propos Gilardeau, *Eugène Labiche, Histoire d'une synthèse comique inespérée*. [Thèse inédite] Paris, 1970, pp. 446-448.

14. 1848. Ed. des Oeuvres Complètes, Club de l'Honnête Homme, 1967, t. 2, pp. 93-96.

15. *O.C.*, t. 2 (Paris, 1967).

16. La pièce de Lamartine fut créée le 6 avril 1850 au Théâtre de la Porte Saint-Martin et le rôle de Toussaint Louverture confié à Frédérick Lemaître. Le

Toussaint Louverture fut un général haïtien qui proclama l'indépendance de l'île en 1800. Pour supprimer cette rébellion ouverte, Bonaparte envoie le général Leclerc et les troupes françaises. Toussaint Louverture, emprisonné en France, meurt peu après. Lamartine met en relief la dimension politique : le problème de l'affranchissement des noirs. Le pathétique joue dans son texte un rôle important et toute la question du colonialisme est soulevée. Autrement dit, le statut référentiel [17] des personnages historiques n'est pas bouleversé fondamentalement, étant donné que les événements et les personnages de l'histoire ne sont pas situés dans un cadre inventé de toutes pièces. Tel n'est pas le cas, bien entendu, chez Labiche.

Le texte du vaudevilliste, *Traversin et Couverture* [18], s'annonce de par son titre tout comme par son sous-titre (« parodie ») comme une œuvre de caractère ludique, qui se situe sous le signe du vaudeville, de tels accessoires — traversins, couvertures — étant chers à des farceurs comme Feydeau et Labiche. Cela signifie aussi que Labiche subvertit sur-le-champ la référence au réel historique. Le référent textuel — à savoir l'intertexte lamartinien — efface ou cache tout au moins le référent historique. Le lecteur/spectateur averti décodera les noms propres de façon perti-

---

texte de la pièce n'est aujourd'hui disponible en librairie que dans l'édition des *Oeuvres Poétiques Complètes*, Paris, Gallimard, Bibliothèque de la Pléiade, 1963 (présentée, établie et annotée par Marius-François Guyard), pp. 1259-1401.

17. Est-il besoin de préciser que je soulève en passant un problème fort complexe qui a été l'objet de débats animés chez les philosophes du langage. Il s'agit du statut référentiel du nom propre historique lorsque celui-ci se manifeste dans un discours littéraire (ou fictif). Il est évident que tout texte littéraire peut comporter la *mention* de noms réels (de personnes, de lieux) ; cependant, le cas intéressant (sur les plans philosophique et sémiotique) est celui du nom de personne quand celui-ci est *représenté comme personnage* dans un texte littéraire. En ce cas on a affaire à une combinaison d'éléments réels et fictifs, les uns agissant nécessairement sur les autres... En ce qui concerne le problème philosophique, on pourra consulter : John Searle, « Proper names, » *Mind*, 67 (1958), 166-173 ; et du même auteur, *Speech Acts. An Essay in the Philosophy of Language*, Londres, Cambridge University Press, 1969, pp. 162-174 ; Keith Donnellan, « Proper Names and Identifying Descriptions, » *Synthese* 21 (1970) 335-358 ; Saul Kripke, « Naming and Necessity, » in Donald Davidson & Gilbert Harman (eds.), *Semantics of Natural Language*, Dordrecht, Reidel, 1972, 253-355 ; Tyler Burge, « Reference and Proper Names, » *The Journal of Philosophy*, LXX 14 (1973), 425-439 ; David S. Schwarz, *Naming and Referring. The Semantics and Pragmatics of Singular Terms*, New York & Berlin, Walter de Gruyter, 1979 ; voir aussi le numéro spécial de *Langages* sur le Nom Propre, juin 1982.

18. *Traversin et Couverture*, (parodie de Toussaint Louverture en quatre actes mêlés de peu de vers et de beaucoup de prose) par Eugène Labiche et Charles Varin, (1850), *O.C*, t. 2, pp. 218-232.

nente s'il connaît la pièce de Lamartine, de façon incomplète dans le cas contraire. De toute manière, donc, le décodage pertinent : *Traversin et Couverture* → *Toussaint Louverture* relèguera au second plan le personnage haïtien réel (devenu chez Labiche un ancien cocher) ainsi que les problèmes politiques qu'il soulève. Autre transformation intéressante : le nom Toussaint-Louverture de la version lamartinienne (dont les grandes lignes sont conformes aux événements de l'histoire) se scinde, chez Labiche, en deux personnages : Traversin *et* Couverture (Toussaint et Adrienne chez Lamartine), personnages dont la complémentarité est ainsi mise en valeur, mais bien entendu dans un but farcesque. Une telle subversion du référent historique et politique se voit confirmée à maintes reprises dans le texte de Labiche, d'autant plus que plusieurs noms propres subissent une déformation ludique analogue. Ainsi, par exemple, Serbelli chez Lamartine devient Vermicelli chez Labiche, les généraux français Rochambeau et Ferrand se nomment chez le vaudevilliste Machin et Chose. Mazulime devient Mousseline et ainsi de suite.

Cette question des noms propres appelle d'autres remarques. Le comique intertextuel repose sur un double décodage, sur la coprésence de l'élément parodiant et de l'élément parodié. Il résulte de cette juxtaposition d'éléments incongrus ou incompatibles, une collision référentielle donnant lieu à ce que Arthur Koestler appelle (dans *The Act of Creation*) un phénomène de bissociation [19]. Celle-ci provoque le rire. Ce à quoi nous avons affaire est comparable au jeu lexical transformant le signifiant, ressource couramment exploitée par les auteurs de farce. Soit cet exemple, relevé chez Ionesco, où Jacques mère (dans *Jacques ou la soumission*) dit à son fils révolté : « Mon fils, tu es un *mononstre* ! » La déformation du signifiant attire davantage l'attention sur le vocable déformé, ce qui entraîne sinon l'oblitération intégrale du référent, du moins la dislocation de la relation nor-

---

19. Arthur Koestler développe dans *The Act of Creation*, (Londres, Hutchinson, 1964) une théorie fort intéressante du comique selon laquelle celui-ci repose sur la juxtaposition de domaines référentiels habituellement incompatibles. (« The sudden bisociation of an idea or event with two habitually incompatible matrices will produce a comic effect, provided that the narrative, the semantic pipeline, carries the right kind of emotional tension. When the pipe is punctured, and our expectations are fooled, the now redundant tension gushes out in laughter or is spilled in the gentler form of the sou-rire. » (passage cité : p. 51 de l'édition de 1975). Voir également à ce sujet l'intéressant article de Michael Riffaterre : « The Poetic Function of Intertextual Humor, » *Romanic Review*, LXV, 4 (1974), 278-293.

male signifiant → référent → signifié. Ainsi, dans le cas de noms propres comportant comme chez Labiche un jeu intertextuel, c'est le signifiant (nom propre déformé) qui est mis en valeur aux dépens du référent (personne désignée). De plus, si l'énonciateur est tourné en dérision (car l'auteur dramatique confie après tout l'énonciation à ses personnages), ses énoncés le sont implicitement aussi, étant attribués à un locuteur devenu absurde sinon fantaisiste. En un mot, ce phénomène du jeu onomastique ou lexical s'apparente à la fonction poétique (ou esthétique) du langage selon la célèbre définition de Jakobson : « La fonction poétique projette le principe d'équivalence de l'axe de la sélection sur l'axe de la combinaison [20]. » L'attention est centrée sur le côté palpable des signes et, dans les exemples intertextuels que nous sommes en train de considérer, sur la *collision* de deux noms propres, donc de deux énoncés incompatibles : neutres ou historiques, ludiques ou fantaisistes. Je préciserai, enfin, que les noms propres déformés se manifestent au *spectateur* (par opposition au lecteur) uniquement de façon intermittentte : dans les seuls cas où tel nom propre est prononcé par un autre personnage sur scène.

Le jeu subversif relatif aux noms propres est repris à d'autres niveaux du texte. Pour simplifier, on peut parler de deux catégories de fonctionnement intertextuel : la première correspond à celle d'un hypotexte (ou texte parodié) *identifiable* (à savoir les parodies de passages particuliers de la pièce de Lamartine) ; la seconde est celle de la parodie d'une *convention* théâtrale, d'un style, de stéréotypes scéniques [21]. On pourrait parler également d'une intertextualité *restreinte* (ou obligatoire) : là où une scène, une réplique reprennent, en le transformant, tel énoncé d'un hypotexte spécifique et, d'autre part, d'une intertextualité *étendue* où il s'agit de la reprise de macro-plutôt que de micro-éléments d'un hypotexte (l'exemple évident serait le segment de l'Orestie récrit par Sartre dans *Les Mouches*). Le cas de *Traversin et Couverture* correspond bien entendu surtout à la première catégorie, mais le dramaturge ajoute à ce plat une sauce intertextuelle plus complexe en parodiant simultanément des conventions théâtrales chères à certains de ses contemporains.

---

20. Roman Jakobson, *Essais de linguistique générale*, Paris, Minuit, 1963, p. 220.
21. Voir à ce propos des conventions littéraires « Presupposition and Intertextuality » in Jonathan Culler, *The Pursuit of Signs*, Londres, Routledge & Kegan Paul, 1981, pp. 100-118.

Considérons d'abord l'intertextualité étendue : l'*exposition* nous fournit l'exemple évident. Labiche jette par dessus bord les longues tirades de Lamartine et de ses contemporains (inspirées à leur tour sans doute par le récit de Théramène) pour faire appel à de brèves répliques parodiques, absurdistes, comme celle-ci prononcée par Couverture qui s'identifie : « La sœur de Traversin me donna le jour !... Je suis la nièce du grand Traversin...ce qui me fait présumer qu'il est mon oncle ! » (219) [22]. Il s'agit d'une parodie double : celle de deux pages du texte de Lamartine ainsi laconiquement résumées, celle de la convention d'époque. Soit cet exemple, satire des longues tirades du théâtre romantique, première réplique de Traversin dès sa parution sur scène : « Est-ce qu'on ne va pas se taire un peu, par ici ? [...] Sortez ! J'ai le plus grand besoin de faire un monologue ! » (220)

Sous cette même rubrique, on pourrait ranger toutes les remarques métanarratives sur le discours poétique, à peu près conformes à ce modèle-ci : « TRAVERSIN — Mille pardons si je parle en vers !... C'est un tic que j'ai contracté dans ma jeunesse... ça m'a fait bien du tort dans la société ! Voici ma petite affaire en prose ! » (I,iii ; 220). Enfin, le *contenu* de l'exposition est également parodié grâce à une technique qui consiste à y mettre des renseignements fantaisistes. Ainsi le récit ludique de l'adoption de Couverture : « C'est alors que le grand Traversin, qui avait déjà deux enfants à la mamelle, me remit à sa femme en lui disant : si tu n'as pas assez de lait, mets-y de l'eau ! » (219).

En plus des parodies de l'exposition, du discours poétique (notamment de l'emploi d'alexandrins), le style noble lui-même est constamment tourné en dérision. Souvent, ainsi que nous le verrons, Labiche juxtapose extraits de Lamartine et observations stylistiques (en ce cas il s'agit, bien sûr, d'intertextualité restreinte). Ailleurs, cependant, on relève une utilisation d'argot dont l'effet comique repose en partie sur l'écart entre le style noble de l'hypotexte et les énoncés vulgaires ou argotiques de l'hypertexte. En voici un exemple où Labiche utilise trois vers en alexandrins, le premier étant, à un détail près, celui de Lamartine, les deux autres, de son cru, dans lesquels il réussit à subvertir le texte et le style du poète en remplaçant l'élément noble par un élément scatologique. Il s'agit de la scène où les généraux français confient un message pour Traversin au mendiant déguisé (qui est

---

22. Les références de pages renvoient à l'édition des *Oeuvres Complètes de Labiche*, Paris, Club de l'Honnête Homme, 1967, t. 2.

en fait Traversin lui-même). Ce dernier, à qui on demande s'il connaît Traversin, répond en ces termes :

> « Nous avons dix-huit ans servi le même maître
> Mangé le même pain, bu le même bouillon
> Reçu des coups de pieds dans le même sillon... »(225)

Au cas où la plaisanterie passerait inaperçue, l'auteur fournit un double signal (verbal) explicite, la mettant en valeur par le truchement du général Machin qui fait remarquer : « Je comprends cette figure. » Et le général Leclerc d'enchaîner : « Quel langage plein d'élévation ! »

Quant aux exemples d'intertextualité restreinte, ils sont fort nombreux dans le texte parodique de Labiche. Il est bien évident que lorsqu'un écrivain a recours à ce genre de pratique textuelle, la parodie peut se situer à n'importe quel niveau d'un texte. Or dans le cas d'une pièce de théâtre, les possibilités s'offrent sur les deux plans *visuel* et *sonore*. S'il s'agit mettons d'un objet (accessoire ou costume) connu de tous : poignard de Macbeth, coupe-papier de Garcin dans *Huis-clos*, cassette de Harpagon, balai innommable ou costume d'Ubu ; ou d'un décor devenu célèbre : chambres closes de Pinter, arbre ou poubelle de Beckett, le dramaturge peut même se passer totalement du canal verbal pour réaliser l'effet parodique. En ce cas, le processus s'apparente à la parodie picturale où un simple détail — tel le grelot chez Magritte destiné à évoquer le sourire de la Joconde — suffit pour réussir la parodie voulue.

Or dans *Traversin et Couverture* c'est le canal verbal — le discours théâtral — qui est privilégié. (Naturellement dans la représentation à l'époque, les comédiens ont dû sans doute rendre plus explicite la parodie de Lamartine et du style romantique à l'aide de gestes, de mouvements sinon par la façon de dire certaines répliques. Cependant le texte de Labiche, à quelques rares exceptions près — cf. « [Traversin] prend une pose tragique. » (220) — n'en a pas gardé trace dans les didascalies.) Si les conventions du théâtre romantique sont à de nombreuses reprises parodiées dans *Traversin et Couverture*, le texte même de Lamartine est expressément évoqué ou cité pour être tout de suite tourné en dérision. Trois systèmes sont mis en œuvre :

1º L'hypotexte est présent, c'est-à-dire cité.
2º L'hypotexte est absent, c'est-à-dire évoqué ou référé.
3º Allusion aux éléments extratextuels (à savoir les référents politiques ou historiques du texte de Lamartine).

Le premier cas est, bien entendu, le plus simple. Des vers de Lamartine sont d'abord cités, ensuite subvertis à l'aide de jeux de mots. Un exemple simple serait la scène dans laquelle Traversin s'adresse à sa nièce Couverture au début de la pièce. Les deux premiers vers sont, à quelques termes près, de Lamartine, les remarques subversives en prose qui suivent, de Labiche :

« Ah c'est toi !... c'est ma fleur de bénédiction !...
L'étoile qui blanchit mes nuits d'affliction !...
Car tu blanchis mes nuits, toi !... tu blanchis mon linge... tu es une bonne blanchisseuse ! » (I, iv ; 220).

Une variante un peu plus complexe de ce procédé consiste à utiliser ce qu'on pourrait nommer un hypotexte *brouillé*, c'est-à—dire un faux hypotexte composé d'éléments hétéroclites. Voici un exemple, amalgame du récit de Théramène et d'alexandrins lamartiniens inventés par Labiche, le tout étant immédiatement tourné en dérision par la réplique qui suit. Il s'agit de la scène (I, vii) dans laquelle le matelot revient donner son impression de la flotte française qui arrive à Haïti :

LE MATELOT :
A peine nous sortions des portes d'Haïti,
Un vent sec et brûlant nous poussait au midi...
Ce vent, qu'avec terreur en ce pays on nomme...
Ce vent, qui fait trembler la femme ainsi que l'homme...
Ce vent...
TRAVERSIN, *impatienté* — Assez de vent comme ça !... Combien de vaisseaux ? (221)

Le second cas (celui de l'hypotexte absent) correspond aux passages, assez nombreux, où le vaudevilliste parodie de façon étroite le texte lamartinien, le plus souvent en inventant des vers dans le style du poète, mais en poussant à la limite certaines caractéristiques, certaines figures, notamment, comme dans l'extrait suivant, celle de l'apostrophe : (il s'agit du premier monologue de Traversin peu après son apparition sur scène au premier acte) :

LAMARTINE

Cette heure du destin si longtemps attendue,
La voilà donc !...En vain je l'avais suspendue,
En vain je suppliais Dieu de la retenir ;
Pour décider de nous elle devait venir !

Entre la race blanche et la famille noire
Il fallait le combat puisqu'il faut la victoire !
[...]
(Acte 11, Sc. i, Ed. de la Pléiade, p. 1 279)

LABICHE

 O heure du destin, te voilà donc venue !
Longtemps j'ai lanterné...et je t'ai suspendue !
Mais cette heure a sonné sur la cloche d'airain !
O liberté des noirs...je serai ton parrain !
O terme ! ô mer ! ô nature ! ô verdure !
O carnage ! ô rage ! ô...
 (Acte I, Sc. iii, p. 220).

   Soit encore cet exemple, où les éléments qui se veulent pathéti-
ques chez Lamartine deviennent absurdes chez Labiche. Traversin propose à sa nièce Couverture de se cacher avec lui pour
échapper aux Français :

LAMARTINE

        TOUSSAINT — Pourrais-tu supporter la faim des jours entiers,
                    Déchirer tes pieds nus aux cailloux des sentiers ?
                    Sous l'ardeur du soleil et de la nuit obscure,
                    Avoir l'herbe pour lit, le ciel pour couverture ?
                    Marcher, toujours marcher, ne dormir qu'en
                    courant ?
                    Te glisser nuitamment des camps aux citadelles ?
                    Recevoir sans crier le feu des sentinelles ?

                                        (II, ix, pp. 1 307-8)

LABICHE

TRAVERSIN — Sais-tu marcher pieds nus sur des cailloux ?
COUVERTURE — Oui, m'n oncle.
TRAVERSIN — Sais-tu marcher pieds nus sur des tessons de
bouteilles ?
COUVERTURE — Un petit peu.
TRAVERSIN — Eh bien ! mets mes bottes à l'écuyère et va me
                    chercher ma clarinette.

                                        (I, ix, p. 222)

   Enfin, quant à la troisième forme de parodie restreinte, celle des
éléments extratextuels, il s'agit en fait de l'ensemble référentiel de
la pièce de Lamartine, à savoir le contenu politique et historique.

Nous avons déjà vu, à partir de l'analyse des noms propres, comment le réel historique est subverti et même partiellement gommé. En ce qui concerne la dimension politique de la pièce lamartinienne, la cible de Labiche est double, étant à la fois le schéma narratif de l'hypotexte et le problème politique par lui évoqué : celui de l'affranchissement des noirs. Ainsi les scènes de débat politique chez Lamartine sont escamotées chez Labiche (« LECLERC — Que pense de cela le général Chose [...] Et votre opinion, général Machin » (224) etc.) et les actions chez Labiche — déguisement de Traversin en « clarinette », assassinat ubuesque du général Moïse, emprisonnement de Couverture, portrait de Salvador retrouvé — sont vidées de tout contenu lyrique, pathétique ou sérieux. La technique souvent mise en œuvre consiste à banaliser le problème politique fondamental, à l'aide de jeux de mots, même un peu faciles, comme celui-ci dans la scène où le matelot apporte à Traversin la lettre de Bonaparte :

> LE MATELOT — Ah ! j'oubliais ! une lettre...c'est quatre sous !
> TRAVERSIN — Quatre sous ?...Pendant que je suis en train d'affranchir mon pays..il ne m'en coûte pas plus d'affranchir cette lettre...Tu n'auras rien !
> LE MATELOT — Mais...
> TRAVERSIN — Disparais...ou je t'émancipe ! (221)

Il va de soi que bon nombre de passages (y compris des exemples que j'ai cités) passeraient sans doute inaperçus lors d'une représentation. D'autre part, une certaine redondance s'impose au théâtre : le dramaturge emprunte souvent plus d'un canal pour communiquer un même message. Il peut par exemple exploiter simultanément les niveaux verbal, gestuel, scénographique pour réaliser une parodie donnée. Qui dit redondance , dit répétition : ainsi le protagoniste de Labiche rappelle au spectateur qui ne l'aurait pas remarqué, qu'il parle *en vers*... De tels signaux seraient bien entendu renforcés lors d'une mise en scène par le jeu comédien contraint dans une pièce comme *Traversin et Couverture* de mettre très clairement en relief les passages en alexandrins [23].

L'emploi de l'hypotexte présent (c'est-à-dire de la citation) est très fréquent dans le domaine théâtral : la parodie plus oblique

---

23. D'autant plus que l'auditeur n'est pas obligatoirement conscient de l'emploi d'alexandrins (voir, par exemple, Georges Lote, *Études sur le vers français,* Paris, Éditions de la Phalange, 1913, t. 2, pp. 699-703).

risque d'échouer complétement si le public n'identifie pas d'emblée le texte utilisé. On relève donc bon nombre de citations de Lamartine chez l'auteur de *Traversin et Couverture*, tout comme on relève de très nombreuses tirades et répliques de Shakespeare chez Stoppard (dans *Rosencrantz and Guildenstern are dead*). Enfin, faut-il préciser que l'économie de l'énoncé hypertextuel dépend de la célébrité de l'hypotexte : ainsi pour parodier le récit de Théramène, un seul vers (le premier) suffit.

Le système de l'hypotexte absent, bien plus subtil, se destine à un public plus cultivé, exige une attention plus soutenue chez le spectateur. Il risque toujours de passer inaperçu. Est-ce pour cela que Labiche, tout comme tant d'autres auteurs dramatiques, mise souvent sur deux tableaux à la fois : celui du texte spécifique parodié, celui des conventions, des stéréotypes scéniques à tourner en dérision. Enfin la parodie d'éléments extratextuels exige chez le spectateur certes une bonne culture générale mais bien entendu une connaissance moins approfondie d'un hypotexte particulier.

L'intertextualité au théâtre

Ce sur quoi il faudrait insister est la *fréquence* de pratiques intertextuelles : il ne s'agit aucunement de formes exceptionnelles (ni « baroques » ni « décadentes ») du discours théâtral. A la limite, toute pièce de théâtre (comme n'importe quel texte littéraire) est une manifestation de l'intertextualité dans la mesure où elle renvoie — explicitement ou implicitement — soit à une convention théâtrale, soit, au sens plus étroit, à un texte spécifique. Le renvoi à une convention concerne soit tel aspect particulier du discours théâtral : emploi d'alexandrins, d'apartés, de clichés ; soit telle technique (structurale ou autre) : exposition, complication, dénouement ; statut des personnages, de l'action, des modes tragique ou comique, et ainsi de suite. La pièce de Labiche, on l'a vu, fournit maint exemple de ce genre de référence aux conventions et au discours ; chez Ionesco, Tardieu, Beckett, Stoppard. [24], N.F. Simpson [25], et d'autres auteurs contemporains,

---

24. De T. Stoppard voir, par exemple, *The Real Inspector Hound*, Londres, Faber 1968, et *After Magritte*, Londres, Faber, 1970, parodies du théâtre policier.
25. Voir N.F. Simpson, *A Resounding Tinkle,* [in T. Maschler, ed. *Three Plays*], Harmondsworth, Middlesex, Penguin Books, 1960, (parodie des émissions littéraires de la B.B.C.).

la récolte est aussi abondante. Chez Ionesco (dans *La Cantatrice*), sont référés notamment : le statut du personnage (d'où l'emploi de fantoches interchangeables), de l'exposition, de l'action, du dénouement, (sans oublier la convention du titre), bref toute l'esthétique aristotélicienne. Chez Beckett tout comme chez Tardieu, la suppression de telle composante traditionnelle : le mouvement dans *Oh les beaux jours*, les personnages, le décor, le mouvement, les costumes, et à peu de choses près, les gestes et l'éclairage dans *Pas moi*, la référence anaphorique dans *Eux seuls le savent*, les clichés dans *Un mot pour un autre*, la gestualité normale dans *Un geste pour un autre*, — constitue une référence évidente, d'autant plus que de telles suppressions de ressorts techniques importants se remarquent tout de suite.

Le renvoi aux *textes* est sans doute un mode intertextuel plus circonscrit, s'agissant d'une part d'hypotexte(s) étendu(s), de l'autre, d'hypotexte(s) obligatoire(s) ou *spécifique(s)*, dans le second cas de textes donc identifiables. Par *hypotexte étendu* il faut entendre les cas, assez fréquents, où il est indispensable de connaître, par exemple, les grandes lignes d'un mythe (au sens large du terme) afin de saisir la pertinence des transformations de son adaptateur. Ce type de transformation opère au niveau narratif plutôt qu'au niveau textuel. Pour le théâtre français, la mythologie grecque a été le creuset de maint dramaturge, de Racine à Sartre ; mais il est bien évident que la Bible et Shakespeare sont des intertextes non moins importants pour le théâtre occidental. De cette catégorie les exemples sont légion ; à se limiter à l'inspiration biblique, mythologique et shakespearienne, citons entre mille : *Esther* de Racine (inspiré par *Le Livre d'Esther*), *The Serpent* [26] de Jean-Claude Van Itallie (réécriture d'inspiration artaudienne d'un épisode du Livre de *Genèse*) ; *Les Mouches* de Sartre (réécriture d'un segment de *L'Orestie*), *Mourning Becomes Electra* de Eugene O'Neill [27] ; *Macbett* de Ionesco [28], *A Macbeth* de Joe Chaikin, etc. Les textes de cette catégorie s'inspirent très librement du texte de départ, qu'il s'agit de réécrire selon le goût du jour, et non de parodier. Pourraient se ranger sous cette même rubrique les cas d'hypotextes *non spécifiques*, comme la *Léda* de Jarry, qui ne transforme pas de *textes* antérieurs, mais qui reprend,

---

26. Jean-Claude Van Itallie, *The Serpent, [in collaboration with the Open Theater under the direction of Joseph Chaikin]*, New York, Atheneum, 1969.
27. *Eugene O'Neill, Mourning becomes Electra*, New York, Random House, 1931.
28. E. Ionesco, *Macbett*, Paris, Gallimard (« Le Manteau d'Arlequin »), 1972.

en l'adaptant, un mythe, *mentionné seulement au passage* par
Homère, Euripide, Hérodote et Ovide. Les transpositions de
Jarry sont exclusivement diégétiques [29].

Quant à la transformation d'un texte tuteur ou hypotexte spécifique — l'intertextualité *obligatoire* (ou restreinte) — *Traversin et
Couverture* de Labiche, on l'a vu, fournit l'illustration explicite de
ce qui correspond, le plus souvent, à la réécriture de *l'ensemble*
d'une pièce, en d'autres termes, à la parodie dramatique. Il va de
soi qu'on pourrait facilement multiplier les exemples de cette
catégorie, surtout aux 18e et 19e siècles, de Marivaux à Feydeau [30].
Dans la plupart des cas de cette catégorie, on a affaire à un
phénomène d'agrammaticalité : le tissu textuel (tout comme le
discours poétique) est souvent incompréhensible s'il est pris à la
lettre, son décryptage dépend étroitement d'une clef
hypotextuelle.

Mais si le texte théâtral peut manifester une intertextualité dans
le titre, dans la parodie de l'ensemble, voire dans une simple
transposition diégétique, quelle est, en fin de compte, la *spécificité*
de l'intertextualité théâtrale ? Inexplicablement, cette question
semble avoir échappé aux spécialistes de cette problématique [31].
Pour y répondre il est indispensable de tenir compte du mode de
transmission du texte théâtral. Qu'il soit à la fois oral et visuel
relève de l'évidence même, et pourtant on l'oublie. En revanche,
pour étudier à l'état simplifié cette forme du discours dans son
fonctionnement intertextuel, un corpus idéal existe où le visuel
est supprimé : il s'agit du théâtre radiophonique. Le répertoire
français comprend les noms de Beckett, Tardieu, Obaldia, Pinget,
entre autres. Le théâtre, par opposition à d'autres formes littéraires, manifeste un modèle intertextuel déjà simplifié ; sa contrepartie radiophonique propose donc le phénomène sous sa forme la

---

29. A. Jarry, *Léda*, Paris, Bourgois, 1981. Sur cette pièce (récemment retrou-
vée) voir mon étude, « Intertextual Interlude : Jarry's *Léda* », *L'Esprit Créateur*,
Vol. 24, N° 4 (1984), pp. 67-74.

30. Pour le XVIIIe siècle, voir, par exemple, V.B. Grannis, *Dramatic Parody
in Eighteenth Century France*, New York, Publications of the Institute of French
Studies, 1931 ; sur le XIXe siècle, cf. l'ouvrage de S. Travers ; pour le XXe siècle,
il semble y avoir fort peu de travaux jusqu'à présent ; voir toutefois M. Schmeling,
Métathéâtre et intertexte. Aspects du théâtre dans le théâtre, Paris, Minard [*Archives
des Lettres Modernes N° 204*], 1982.

31. Ainsi, par exemple, dans la très bonne bibliographie de l'intertextualité de
D. Bruce, « Bibliographie annotée : Écrits sur l'intertextualité, » *Texte* 2 (1983),
pp. 217-258, qui fournit plus de trois cents références sur la question, rarissimes
sont celles qui portent sur le théâtre.

plus élémentaire, étant donné les moyens techniques réduits dont dispose ce genre théâtral. Puisque le canal visuel et son diapason (gestes, mouvements, décors, accessoires, corps) sont supprimés en même temps que l'utile possibilité de redondance communicative, toute occurrence d'intertextualité doit être nécessairement signalée de façon beaucoup plus directe.

Ainsi, par exemple, dans *Edouard et Agrippine* d'Obaldia, on relève une parodie de l'auteur de *L'Être et le néant*. Edouard est en train de lire un « gros ouvrage de philosophie », selon les dires de sa femme un « traité d'existentialisme », un pavé de « près de deux mille pages » (elle exagère !). A un moment donné, il choisit un passage de son philosophe :

> ...L'unité de ce dynamisme dramatique entre le non-moi et le sur-moi peut seule concilier le moi du moi : le moi-moi...Tu me parles, et je parle : ton moi-moi cherche à posséder mon moi-moi. Mais il ne peut y avoir possession, c'est-à-dire annihilation quantique, aquatique, rogative et interrogative que dans la mesure où le sur-moi a fait taire le sous-moi, où nos deux moi-moi restent cois [32].

Ce qui serait, sans doute du parfait charabia, à moins de le lire comme parodie de Sartre. En revanche, un tel passage n'exige qu'une connaissance limitée de l'hypotexte sartrien, probablement celui-ci, extrait de *L'Être et le néant* :

> Je suis possédé par autrui ; le regard d'autrui façonne mon corps dans sa nudité, le fait naître, le sculpte, le produit comme il *est*, le voit comme je ne le verrai jamais. Autrui détient un secret : le secret de ce que je suis. Il me fait être et, par cela même, me possède, et cette possession n'est rien autre que la conscience de me posséder [33].

Le type de mécanisme intertextuel dont il est ici question *n'exige pas l'identification exacte,* à condition tout au moins que le spectateur soit conscient qu'il s'agit d'une parodie du texte et des idées de Sartre. De toute manière, le public écoutant un texte pareil, lu à haute vitesse, à tout juste le temps de se rendre compte du caractère pseudo-philosophique et parodique de ce qu'il entend — c'est là, en fait, l'essentiel de l'effet textuel voulu. Ce qui semble clair, en tout cas, c'est que ce type de passage est plus

---

32. René de Obaldia, *Edouard et Agrippine*, in *Sept impromptus à loisir*, Paris, Grasset, 1967, p. 99.
33. J-P. Sartre, *L'Être et le néant*, Paris, Gallimard, 1943, p. 141.

spirituel, plus réussi à l'écoute qu'à la lecture... D'une façon analogue, l'adaptation radiophonique de *Candide* [34] par Tardieu est beaucoup moins libre qu'il n'eût sans doute été autrement : Tardieu est contraint d'utiliser bon nombre de passages du texte de Voltaire — l'hypotexte étant donc souvent présent, c'est-à-dire cité.

Cette brève parenthèse radiophonique permet de voir peut-être plus explicitement le potentiel visuel de l'intertextualité dans le cas du théâtre « normal ». En d'autres termes, l'intertextualité théâtrale n'est pas exclusivement une affaire de *textes :* il peut s'agir du renvoi au *visuel. Renvoi* et non *référence*, au sens strict, puisque d'après les philosophes de l'école d'Oxford [35], tout processus référentiel dépend d'une verbalisation. Mais le dramaturge peut, s'il le veut, expliciter un renvoi visuel à l'aide d'énoncés confiés au canal prévu à cet effet : celui des didascalies. Il serait légitime, à ce moment-là, de parler de *référence* visuelle au visuel *in absentia*, puisque la couche didascalique fait office de *texte* de médiation. Toutefois, si ce texte médiateur existe lors de la lecture d'une pièce de théâtre, il s'efface lors de la représentation, *à titre d'énoncés*, étant incorporé aux plans auditif et visuel. Ainsi dans la représentation se manifeste le renvoi visuel, élément présent, figurant un élément absent ; l'interprétation du premier est tributaire du rapport dynamique entre les deux. Considérons quelques exemples. Dans *Un geste pour un autre*, la technique de Tardieu consiste à utiliser un geste fantaisiste (équivalent d'un signifiant arbitrairement choisi et donc autonome par rapport au signifié correspondant) qui renvoie obligatoirement au geste normal du contexte verbal donné. Ainsi dans cet exemple : « L'AMIRAL (*s'avançant le bicorne à la main, vers Madame de Saint-Ici-Bas et lui baisant respectueusement le pied droit.*) Madame, je suis charmé » [36], il est évident que *pied* remplace *main*. (D'une façon analogue, Tardieu se sert de signifiants fantaisistes, dans *Un mot pour un autre*, renvoyant aux signifiants habituels absents). La technique d'*Un geste pour un autre* est éminemment théâtrale dans

---

34. J. Tardieu, *Candide* (Adaptation radiophonique du roman de Voltaire) in *Une soirée en Provence [Théâtre III]*, Paris, Gallimard, 1975.

35. Voir, à titre d'exemple, P.F. Strawson, *Logico-Linguistic Papers*, Londres, Methuen, 1971, pp. 1-27 ; J.L. Austin, *Philosophical Papers*, Oxford & Londres, Oxford University Press, 1961, pp. 134-153 ; pour un exposé français de ces questions, consulter O. Ducrot, *Dire et ne pas dire. Principes de sémantique linguistique*, Paris, Hermann, (2e édition) 1980.

36. J. Tardieu, *Un geste pour un autre* [1951] in *Théâtre de chambre*, Paris, Gallimard, 1955, p. 227.

la mesure où elle exploite une propriété intrinsèque du théâtre : la gestuelle. Dans l'exemple cité, un geste (présent), accompagné du propos attendu, renvoie au geste normal ; l'interprétation du geste fantaisiste dépend de deux facteurs : le contexte et l'énoncé normal l'accompagnant.

Il va sans dire que les possibilités de renvoi visuel ne se limitent pas à de tels cas. A la limite, n'importe quel signe visuel — accessoire, décor, costume, mouvement — pourrait figurer tel signe visuel absent. On peut, d'autre part, avoir recours à la « synecdoque » visuelle, qui consiste (ainsi que le proposait l'auteur d'*Ubu roi*) [37] à montrer la partie pour le tout : un seul objet (panneau, par exemple) pour figurer le lieu d'action, un seul personnage pour représenter une armée, etc.

Chez Cocteau, dans *Les Mariés de la Tour Eiffel*, les phonographes humains (comédiens chosifiés) renvoient à des personnages renvoyant à leur tour à une convention théâtrale, celle du chœur grec. En utilisant des « machines », Cocteau fait par là-même un commentaire implicite sur la fonction (machinale) du chœur. Il fait observer que « les phonographes humains, à droite et à gauche de la scène, comme le chœur antique, comme le compère et la commère, parlent, sans la moindre littérature, l'action ridicule qui se déroule, se danse, se mime au milieu » [38]. En fait le rôle des acteurs dépasse celui du chœur, ne se limite pas à des commentaires, puisqu'ils récitent également les répliques des figurants muets. « Ils parlent très fort », précise le dramaturge, « très vite en prononçant distinctement chaque syllabe. Les scènes se jouent au fur et à mesure de leur description [39] ». Cette technique, intermédiaire entre le dramatique et le narratif, il serait éclairant de la comparer à celle de Sartre dans *Huis clos* et *Les Séquestrés d'Altona* (récits dans le premier, diégèse mimétisée dans le second) [40]. Toutefois, si Cocteau a recours à des fantoches muets, les paroles « absentes » s'accompagnent d'une *présence* scénique.

Les Mariés de la Tour Eiffel correspond donc à l'intertextualité étendue, référence à une convention théâtrale située à la limite entre le romanesque et le dramatique. Bref la technique visuelle

---

37. Voir ici chapitre 11.
38. J. Cocteau, *Les Mariés de la Tour Eiffel* in *Oeuvres Complètes*, t. VII, Paris, Marguerat, 1921, p. 12.
39. J. Cocteau, *O.C.*, t. VII, p. 21.
40. Cf. ici chapitres 6 et 7.

est médiatisée verbalement par les didascalies, dépend exclusivement du canal visuel lors de la représentation. A cela faut-il
ajouter qu'il est indispensable de (re)connaître l'hypotexte grec
(non spécifique), faute de quoi, l'expérience de Cocteau paraîtrait
sans doute incompréhensible. La règle du jeu de la convention
théâtrale est simple : on ne saurait s'expliquer un jeu si on ignore
les règles...

Si Cocteau demeure relativement discret dans ses présupposés
intertextuels, Ionesco l'est beaucoup moins dans *L'Impromptu de
l'Alma*. Il adopte un dispositif brechtien — celui des pancartes —
annonçant le lieu et le temps, afin de tourner en dérision la
technique caractéristique de l'auteur allemand. Le canal verbal
est également mis à contribution (« Bartholoméus I *à Ionesco* —
Mais faites attention [...] jouez cette scène selon les principes de
la distanciation ») [41] en plus de pancartes supplémentaires (et
superflues) : « TEMPS BRECHT, TEMPS BERNSTEIN [42] », et
pour le cas où le spectateur était myope, deux répliques, on ne
pourrait plus explicites : « Bartholoméus III — Vive Bernstein !
Bartholoméus II — Vive Brecht ! [43] ». A cette sauce (un peu
fade, il faut le dire) le dramaturge ajoute un piment : des répliques, partout disséminées, parodiant Barthes (auteur d'articles
parus dans *Théâtre Populaire*). : (« Ionesco — Marie, vous ne
savez pas, ces Messieurs m'ont mis un costume costumique, des
signes signalétiques... Ces Messieurs sont des docteurs... » ; [44]
« Bartholoméus II — Je suis costumitudiste, j'étudie l'essence du
costume » [45] etc.).

A la différence des renvois visuels de Cocteau et de Tardieu,
ceux de Ionesco, accompagnés de supports verbaux (en l'occurrence souvent redondants), ne sont guère autonomes. Si l'on s'en
tient au critère strict d'agrammaticalité, ce sont plutôt des allusions
(j'entends les pancartes et non les parodies de Barthes) que des
exemples d'intertextualité.

Revenons, enfin, à la spécificité de l'intertextualité théâtrale.
Nous avons exploré ses deux versants caractéristiques, le visuel
et l'oral. Reste une dimension orale, jusqu'ici passée sous silence :

---

41. E. Ionesco, *L'Impromptu de l'Alma*, in *Théâtre II,* Paris, Gallimard, 1958,
p. 49.
42. *L'Impromptu de l'Alma*, p. 42.
43. *L'Impromptu de l'Alma*, p. 42.
44. *L'Impromptu de l'Alma*, p. 51.
45. *L'Impromptu de l'Alma*, p. 54.

la *présence de la voix* du comédien. Celle-ci permet, bien entendu, toute une gamme de possibilités intertextuelles, allant de l'imitation de tel autre acteur célèbre (allusion à une mise en scène ayant fait date, par exemple), de telle personnalité politique. (Il existe bien sûr l'équivalent visuel qui serait l'imitation de la gestualité, des mouvements caractérisant un comédien, l'exemple évident étant la démarche de Ch. Chaplin). Le cas vocal est intéressant sur un plan théorique, s'agissant d'une référence *non verbalisée*, dans la mesure où l'imitation (discrète) ne doit pas être « expliquée » (c'est avant tout une démonstration) ; qui plus est, la référence, à ce moment là, se situerait à la limite entre le référentiel et le non-référentiel. En revanche l'imitation d'une célébrité est nécessairement un discours « mis en spectacle » : le public la reconnaissant comme telle, serait conscient de ne pas assister à un événement énonciatif réel. Phénomène référentiel particulier, il serait toutefois à classer sous la rubrique d'hypotexte *étendu,* s'il s'agit d'un référent non spécifique, d'hypotexte *restreint* (obligatoire) s'il s'agit d'une référence soit à une mise en scène particulière et donc identifiable, soit à telle déclaration politique ou allocution. Quant aux exemples, on les trouve surtout, lorsqu'il s'agit d'une intertextualité provenant de *l'auteur,* dans cette couche du texte souvent sous-estimée : celle des didascalies [46].

---

46. Le processus ne se manifeste pas très couramment, je crois, dans *le texte théâtral*. Il est vrai qu'on relève parfois des indications didascaliques (sur le visuel) comme celle-ci (à propos du Vieux dans *Les Chaises*) : « Il se gratte la tête, comme Stan Laurel » (Théâtre II, 1954, p. 133), mais le phénomène est probablement plus fréquent dans la *représentation*. A ce moment-là, il s'agirait d'un *renvoi*, visuel ou vocal, qui dépasse notre problématique de la référence intertextuelle au sens strict.

II

DISCOURS ET SPATIALITE :
LA PAROLE CONTRAINTE

5

L'ESPACE AU THÉÂTRE

Si, à l'instar d'un Beckett, on peut procéder à l'élimination de plusieurs composantes d'un spectacle théâtral, y compris le mouvement, la gestualité, voire le dialogue, la dimension irréductible de tout texte destiné à la mise en scène est celle de la spatialité. La représentation théâtrale exige un lieu concret, réel ; en d'autres termes, une pièce de théâtre doit se réaliser *quelque part*.

Dans le cas du récit, l'espace, au sens géographique ou topographique, est dépourvu d'une existence autonome : il dépend des signes qui s'y réfèrent. L'espace romanesque est donc unidimensionnel en ce sens qu'il est exprimé et transmis par la voie unique du langage. En revanche, l'espace théâtral est bien plus complexe, car il peut exister plusieurs lieux distincts : architectural, scénographique, dramaturgique. Il convient d'emblée de distinguer entre ce qui est montré au public et ce qui ne l'est pas, entre l'espace scénique et extra-scénique. Le visible et l'invisible : ce couple antinomique résume, à lui seul en quelque sorte, trois cents ans de l'esthétique théâtrale française ! Il s'agit en tout cas d'opposer le perceptible au non-perceptible, que je désignerai respectivement par les termes *mimétique* et *diégétique*. L'espace mimétique est transmis sans médiation ; l'espace diégétique, tout au contraire, est médiatisé par les signes verbaux (le dialogue), communiqué donc verbalement et non visuellement. Le cas intermédiaire est celui où un personnage sur scène *parle du perceptible*, se référant donc expressément au décor, au mobilier, aux accessoires. Voilà ce qui se passe, on le verra, dans *Huis clos,* dans *Les Bonnes*, dans *Les Séquestrés d'Altona*. Enfin, dans bon nombre de pièces contemporaines, la tension dramatique repose précisément sur l'opposition, voire sur le conflit entre espaces perceptibles et non-perceptibles. Contrairement donc à l'espace romanesque, l'espace théâtral est multidimensionnel ; aussi faut-il, pour tenir compte de sa spécificité, considérer et son mode de transmission et son mode de perception.

Espaces architectural, scénographique, dramaturgique

Quand on parle de l'espace théâtral, on s'aperçoit que pour éviter toute confusion, il faut s'entendre sur le domaine précis dont il est question, car il existe au moins trois possibilités :

1º le lieu théâtral (l'architecture) ;

2º le lieu scénique (la scénographie) ;

3º l'espace dramaturgique (l'emploi particulier du lieu scénique par tel ou tel dramaturge).

Les deux premières concernent des éléments relativement fixes, la troisième, la dimension dynamique, imprévisible, et donc bien plus insaisissable, de la pratique et de la création individuelles. L'architecture et la scénographie correspondent à l'histoire de l'esthétique théâtrale, ne nous retiendront donc pas ici [1]. Encore faut-il faire remarquer que la scénographie recouvre plusieurs propos distincts, y compris le lieu scénique, le décor et les diverses conceptions du décor etc. Il ne s'agit pas d'en retracer l'histoire (fort connue de tous) qui remonte, du moins en France, au dix-septième siècle, notamment au problème de l'unité du lieu [2]. En revanche, il n'est pas inutile, en pensant l'espace théâtral, de songer aux divers codes esthétiques, surtout chez ceux qui ont su s'en émanciper : à partir de l'auteur de la *Préface de Cromwell*, en passant par les observations ludiques de celui qui situe son *Ubu roi* « en Pologne, c'est-à-dire Nulle part » (remarques qui prennent une coloration…particulière, depuis les récents « événements » en Pologne) pour en arriver aux modernes conceptions de

---

1. Consulter, par exemple, pour le moyen âge : E. Konigson, *L'Espace théâtral médiéval*, Paris, Éditions du C.N.R.S., 1976 ; pour la Renaissance : G. Kernodle, *From Art to Theater : Form and Convention in the Renaissance*, Chicago, University of Chicago Press, 1944. L'étude de Konigson se consacre au théâtre en France ; celle de Kernodle, enquête plus vaste, explore, en plus du théâtre français, la Hollande, l'Angleterre, l'Espagne, l'Allemagne et l'Italie. Voir aussi l'article de D. Bablet, « Pour une méthode d'analyse du lieu théâtral, » *Travail Théâtral* 6 (1972), pp. 107-125, qui concerne surtout la scénographie ; J. Jacquot, *Le Lieu théâtral à la Renaissance* Paris, Éditions du C.N.R.S. 1964, (à propos de l'architecture). Ces travaux, fort utiles pour l'histoire du théâtre, font tous abstraction du fonctionnement *dynamique* du lieu théâtral et de la relation entre celui-ci et les autres éléments constitutifs du spectacle.
2. En ce qui concerne les conditions de la mise en scène au dix-septième siècle et pour une excellente mise au point sur l'esthétique théâtrale française de cette époque, voit le magistral ouvrage de J. Scherer, *La Dramaturgie classique en France,* Paris, Nizet, 1950.

l'auteur du *Théâtre et son double*. De telles révolutions informent
encore bon nombre de mises en scène actuelles. Mais les travaux
relatifs à l'architecture et à la scénographie théâtrales relèvent
le plus souvent d'une perspective historique ou sociologique en
privilégiant surtout le tangible et le permanent : édifices, décors,
intérieurs, bref le photographiable. Ils portent donc davantage
sur le *contexte* de l'œuvre littéraire que sur le fonctionnement de
l'œuvre elle-même [3].

L'espace dramaturgique

L'espace dramaturgique, dont il sera surtout question ici, est le
moins tangible des trois espaces. Il s'agit de l'étudier, à partir de
textes de théâtre pris séparément, à titre de système sémiotique.
Une telle étude nécessitera une approche à la fois synchronique
et dynamique. Synchronique, puisqu'il conviendra de faire abstraction de l'histoire et de la sociologie des représentations antérieures ; dynamique, aussi, car il faudra tenir compte du fonctionnement spatial, d'une scène à l'autre, et des relations entre la
spatialité et les autres éléments constitutifs du spectacle.

Mais *comment* étudier cet espace plus insaisissable que les
autres ? A la différence des édifices, des décors, qu'on peut visiter,
photographier, filmer, scruter donc à loisir, l'espace sémiotique
du théâtre est par définition éphémère, voué à la disparition. Les
documents iconographiques d'un spectacle donné ne fournissent
que des éléments disparates et incomplets ; ils ont d'habitude
comme résultat de figer, de rendre statique une réalité dynamique [4]. Le théâtrologue sémioticien se voit donc contraint de pren-

---

3. A titre d'exemple, v. J. Jacquot, D. Bablet [sous la direction de], *Le Lieu
théâtral dans la société moderne*, Paris, Éditions du C.N.R.S., 1963.
4. C'est là, bien entendu, l'écueil de n'importe quel ouvrage (ou répertoire de
photographies) qui offre exclusivement une documentation iconographique sans
tenir compte des *spectacles spécifiques* auxquels elle se rapporte. Malgré leur
perspective surtout historique, on lira avec profit ces deux volumes de D. Bablet :
Esthétique générale du décor de théâtre de 1870 à 1914, Paris, Éditions du C.N.R.S.,
1965, et *Les Révolutions scéniques du XXᵉ siècle*, Paris, Société Internationale
d'Art-XXᵉ siècle, 1975. Le premier, fort bien documenté, est consacré aux théories
ainsi qu'aux formes du décor ; le second présente un choix très éclectique de
photos de dispositifs et de lieux scéniques, sélectionnées dans une perspective
internationale : à consulter dans le contexte des volumes précédents du même
auteur. Voir aussi les intéressantes études de J. Polieri : « L'Image à 360° et
l'espace scénique nouveau, » in Jacquot et Bablet [sous la direction de], *Le Lieu*

dre comme point de départ le *support écrit* que nous possédons pour la plupart des spectacles (mais non pour tous) : le texte, élément constant.

Considérons à présent les diverses formes et les modes de fonctionnement de l'espace dramaturgique. Puisque le texte théâtral précède la représentation, c'est le langage qui crée en le focalisant tout espace théâtral, ou tout au moins, tout espace scénique qui *fonctionne*. Or, dans un texte théâtral, le langage est de deux espèces : il est soit prononcé (le dialogue), soit non verbalisé sur scène (la régie). Ces deux canaux discursifs peuvent *se référer à l'espace*. Mais leurs fonctions respectives sont distinctes. Celle du méta-discours (car normalement se manifeste une hiérarchie) [5] consiste à se référer au visible ou à l'audible (à ce qui est à rendre perceptible, à valoriser). Par contre, celle du discours (le dialogue) est de renvoyer à la fois au visible et à l'invisible (c'est-à-dire à ce qui est évoqué mais non montré). La régie (ou le méta-discours), dans sa fonction référentielle, oriente l'activité du metteur en scène, des comédiens, du régisseur, tandis que le discours (le dialogue) oriente la perception du spectateur.

Espaces mimétique et diégétique

L'espace dramaturgique est de deux sortes : scénique et extra-scénique, c'est-à-dire mimétique et diégétique, équivalent théâtral de la dichotomie *Showing/telling* en narratologie [6]. L'espace mimétique, représenté sur scène, est perçu par le public. L'espace diégétique, au contraire, étant tout simplement référé dans le discours des personnages, se limite à une existence verbale. En d'autres termes, l'espace mimétique est transmis directement, tandis que l'espace diégétique est médiatisé par le langage, verbalisé donc et non visualisé. Est également espace diégétique [7] la

---

théâtral dans la société moderne, Paris, Éditions du C.N.R.S., 1963, pp. 131-148 ; *Scénographie, sémiographie*, Paris, Denoël-Gonthier, 1971. Polieri envisage parallèlement les possiblités de la vision humaine au théâtre et celles, géométriques, de la disposition de lieux scéniques, en examinant diverses conceptions scénographiques le plus souvent informées par ses propres mises en scène.

5. Cf. chapitre 2.
6. Voir, par exemple, Wayne C. Booth, *The Rhetoric of Fiction*, Chicago, University of Chicago Press, 1961, passim.
7. Est-il besoin de préciser que cette forme *intermédiaire* peut se classer tout aussi bien sous la rubrique *mimétique*. On constatera que j'adopte cette solution pour les besoins du schéma, p. 74, conforme au critère strict de la visibilité.

référence explicite au visible (décor, accessoires, etc.), phénomène très fréquent chez certains contemporains (Sartre, Beckett, Genet...) Dans le théâtre français classique, l'espace diégétique (référence au non-visible) jouissait d'un statut privilégié : chez un Racine, du moins à son époque, les représentations conformes aux bienséances, devaient valoriser le diégétique, d'où les nombreuses références aux lieux (et aux actions) non montrables. Dans le théâtre moderne, au contraire, en l'absence de contraintes ou de restrictions esthétiques, le ressort d'une pièce — l'exemple évident serait *Les Bonnes* — peut-être la tension découlant d'un conflit entre espaces mimétique et diégétique.

Dans *Les Bonnes*, l'espace mimétique, c'est la chambre de Madame, par opposition aux lieux de Solange et de Claire qui demeurent diégétiques. Nombreux sont ces lieux diégétiques : la mansarde des bonnes, la cuisine (leur zone de travail) ainsi que les zones de Monsieur : la prison et le café Bilboquet. Il est évident que l'espace de Monsieur est tout à fait conforme à son rôle dans la pièce : à l'exception de son coup de téléphone, il demeure totalement diégétique : il ne paraît jamais sur scène. Quant à Claire et Solange, elles sont censées être un simple reflet de Madame : ainsi, le dramaturge s'abstient de conférer à leur espace un statut autre que diégétique. Si leur mansarde est souvent référée (on en parle beaucoup) son rôle essentiel est de servir d'antithèse : de l'espace visible (la chambre de Madame).

Des remarques qui précèdent il s'ensuit que l'espace dramaturgique (mimétique ou diégétique) est ontologiquement tributaire de la *référence* [8]. L'espace diégétique (non perceptible) en dépend totalement, bien entendu ; l'espace mimétique, s'il est référé dans le dialogue, est en ce cas valorisé dramatiquement. Quant au *référent*, il peut se manifester, au théâtre, sous quatre formes possibles : non visible (référence dans le dialogue), partiellement visible (synecdochique ou métonymique : on le verra chez Labiche), visible (référence dans les didascalies), visible *et* mentionné dans le dialogue. Ces possibilités référentielles pourraient se schématiser ainsi :

---

8. De ce propos de la référence, vaste problématique et véritable labyrinthe de théories philosophiques, linguistiques (entre autres), je ne fais qu'esquisser ici (et ailleurs dans ce livre) quelques aspects relativement simples. Pour de plus amples renseignements à ce sujet, voir A. Whiteside et M. Issacharoff (Eds.), *On Referring in Literature*, à paraître.

ESPACE MIMÉTIQUE	Représentation	Référence	
		Dialogue	Didascalies
	intégrale ou partielle	—	X
	intégrale ou partielle	X	X
			—
ESPACE DIÉGÉTIQUE	—	X	—

Si le référent est non-visible, il se limite à une existence purement verbale ; s'il est partiellement visible, il s'agit le plus souvent
d'un élément vestimentaire ou scénographique figurant un ensemble non montré intégralement ; enfin, s'il est visible, il est programmé dans les didascalies au même titre que n'importe quel
autre élément à rendre perceptible sur le plateau, tandis que s'il
est à la fois visible et référé dans le dialogue, il s'agit d'une
présence scénique marquée, c'est-à-dire maximale. Il est évident
que les possibilités de la représentation mimétique sont bien plus
complexes que celles du diégétique, celui-ci se bornant au seul
canal verbal. A cela faut-il ajouter que la catégorie de « l'espace »
(mimétique) comprend, bien sûr, le décor, les accessoires, les
costumes et même, parfois, les *corps* des comédiens, car il peut y
avoir interaction entre *corps* et *décor*. On le voit dans *Oh les
beaux jours* de Beckett où Winnie se trouve, au début de la pièce,
enterrée jusqu'au-dessus de la taille ; on le voit aussi dans *Huis
clos* où se manifeste un lien explicite entre la robe bleue d'Estelle
et la couleur du canapé qu'elle choisit d'occuper.

Quand on considère le fonctionnement du signe théâtral, il est
indispensable de distinguer entre *signifié* et *référent*. Le théâtre est
sans doute la seule forme artistique où se trouvent simultanément
présentes les trois composantes de la triade sémiotique : signifiant, signifié, référent. Manifestement, le signifié et le référent
ne sont pas interchangeables, bien qu'on les confonde souvent ;
un référent donné peut changer de sens (de façon tout à fait
imprévisible) au cours d'un même spectacle. Les accessoires, par

exemple, peuvent revêtir des fonctions surprenantes : chez Ionesco (*Les Chaises*), des meubles figurent des personnages ; chez Sartre (*Huis clos*), un coupe-papier, privé de sa fonction normale, se transforme en instrument de meurtre (inopérant) ; chez Marcel Aymé (*Lucienne et le boucher*), des bracelets, d'abord signe socio-économique du métier de Moreau deviennent, à l'acte final, menottes symboliques, lorsque Duxin oblige Lucienne la meurtrière à les mettre [9].

Enfin le cas probant, sur le plan théorique serait celui où se disloquent les composantes du signe, signifiant, signifié, référent. Voilà ce qui se manifeste dans *Les Chaises* dont la signification découle, en partie, du statut curieux de la référence. Cette pièce présente une situation langagière, rare dans le théâtre traditionnel, mais courante dans le théâtre absurdiste, où les énoncés semblent avoir perdu leurs référents. On y fait allusion à des personnages et à des objets censément présents qui demeurent invisibles au public. Ainsi, le Vieux dit à la Vieille : « Bois ton thé, Sémiramis », et les didascalies de préciser aussitôt : « il n'y a pas de thé, évidemment [10]. » De toute évidence, les didascalies se conforment à un mode de référence, tandis que le dialogue en respecte un autre. En fait, les didascalies se réfèrent au visuel, conformément à leur fonction théâtrale normale, et le dialogue, quant à lui, se réfère tantôt à l'espace mimétique (lorsque, par exemple, le Vieux demande à la Vieille d'apporter une chaise) et tantôt, au contraire, à des éléments non visibles, et alors les énoncés du type « Quel bel uniforme ! Quelles belles décorations ! » dont la fonction est indicielle, (*indexical*, selon la terminologie de Bar-Hillel), perdent leur sens, les référents étant absents. Enfin, on peut déceler aussi dans *Les Chaises* une manipulation de la référence qui entraîne une manipulation de l'espace mimétique. Lorsque la plupart des invités sont arrivés, la Vieille dit abruptement : « Demandez le programme...qui veut le programme ? Chocolat glacé, caramels [11]. » Traditionnellement, ces énoncés appartiennent, bien entendu, à la salle d'un théâtre, là

---

9. Voir mon article, « Sémio(logique) du mélo, » *Magazine Littéraire*, N°. 124, 1977, pp. 22-25, v. aussi, à propos des accessoires, J-M. Adam et J-P. Goldenstein, *Linguistique et discours littéraire*, Paris, Larousse, 1976, pp. 23-27 ainsi que Maryvonne Saison, « Les objets dans la création théâtrale, » *Revue de Métaphysique et de Morale* t. 79, N° 2, 1974, pp. 253-268 (cet article, utile à bien des égards, ne distingue pas entre objets mimétiques (montrés) et objets diégétiques (mentionnés).

10. E. Ionesco, *Les Chaises* in *Théâtre I*, Paris, Gallimard, 1954, p. 133.

11. Id., p. 162.

où s'assied le public. En utilisant de tels énoncés, en les subtilisant, la Vieille transforme radicalement son aire de jeu : la scène devient la salle et les chaises se trouvant sur le plateau se métamorphosent en fauteuils d'orchestre. A bousculer la référence, le personnage bouscule l'espace.

L'extérieur, espace entourant le phare qu'habitent les vieux, prolongement invisible de l'espace mimétique, est représenté par la voie sonore (bruitages de bâteaux, etc.) Cet espace acoustique envahit l'espace intérieur, mimétique. L'invisible l'emporte ainsi sur le visible. De même, l'arrivée de celui qui est censé être invisible (comme tout le monde !), l'orateur, provoque le départ immédiat des vieux, personnages visibles. Systématiquement, donc, le mimétique (le visible) est sapé, subverti, qu'il s'agisse de personnages, d'accessoires, de lieux. La fonction référentielle du langage est ainsi court-circuitée dans la pièce de Ionesco.

Nous venons de considérer le mimétique par opposition au diégétique, les rapports entre cette relation et le problème de la référence. Une dernière observation s'impose en ce qui concerne l'espace mimétique, qui, paradoxalement, peut être représenté d'une façon autre que visuelle. L'exemple des *Chaises* montre comment le canal *sonore*, représentant un espace extra-scénique, peut prolonger l'espace perceptible. Le cas-limite est celui du théâtre radiophonique ; il présuppose, bien entendu, l'absence d'un espace mimétique visualisé. Il s'agit, à la place, d'un espace mimétique acoustique. Pourtant, malgré l'élimination du visuel, la dichotomie mimétique/diégétique est toujours présente bien que le mimétique doive emprunter un canal différent. Voici un exemple de l'espace mimétique (variante acoustique) que je relève chez Beckett dans *Tous ceux qui tombent* :

> (I) MADAME ROONEY. — Tout est calme. Pas âme qui vive. Personne à qui demander. Le monde mange. Le vent...(*bref coup de vent*)...remue à peine les feuilles et les oiseaux...(*bref gazouillis*)... sont las de chanter. Les vaches...(*bref beuglement*)...et les moutons...(*bref bêlement*)... ruminent en silence. Les chiens...(*bref aboiement*)...sont assoupis et les poules...(*bref caquètement*)...couchées dans la poussière. Nous sommes seuls. Personne à qui demander [12].

12. S. Beckett, *All That Fall*, traduction de R. Pinget, sous le titre *Tous ceux qui tombent*, Paris, Minuit, 1957, pp. 58-59.

Quant à l'espace diégétique, il fonctionne tout comme dans le théâtre normal : cet exemple est extrait de la même pièce de Beckett. M. Rooney parle de son trajet :

> (II) Dans le compartiment vide mon esprit s'est mis à travailler, comme souvent cela m'arrive, après le turbin, sur le chemin du retour, au chant des bogeys. Je me disais. Tu paies ton abonnement douze livres par an et tu gagnes, l'un dans l'autre sept shillings par jour, soit juste de quoi acheter les sandwichs, petits verres, tabac et illustrés qui te permettent de rester debout, ou assis, en attendant de pouvoir rentrer à la maison et t'écrouler sur ton lit. Sans parler du reste — loyer et assurances, souscriptions diverses chauffage et éclairage, permis et licences, entretien des locaux, sauvegarde des apparences, par-ci par-là un timbre-poste, cheveux et barbe, tramway aller et retour, pourboires aux guides bénévoles, et tu en passes. Il est donc évident qu'à rester couché chez toi, jour et nuit, hiver comme été, en changeant de pyjama tous les quinze jours, tu augmenterais considérablement tes revenus [13].

Dans le cas mimétique (Texte I), l'espace est *créé* par le langage, prolongé par les bruitages, ceux-ci étant ancrés par le canal verbal, car ils risquent autrement d'être incompréhensibles à l'écoute. Dans cet exemple les bruitages servent à émailler les propos de Madame Rooney en les relevant d'un piment réaliste. Mais il va sans dire qu'il est possible de se passer du verbal, de donner l'illusion de l'espace mimétique à l'aide exclusivement des bruitages, comme le fait Beckett au début de *Tous ceux qui tombent* : « Bruits de la campagne. Mouton, oiseau, vache, coq séparément, puis ensemble. Silence. Madame Rooney avance sur la route, se rendant à la gare. Bruit de ses pas trainants [14]. » Dans les deux cas, la perception de l'auditeur, linéaire, dynamique, s'apparente à l'expérience de l'espace diégétique chez le lecteur d'un roman. Le théâtre radiophonique dispose donc de moyens mimétiques, mais à la différence de la perception du spectateur, celle de l'auditeur se limite nécessairement à un seul canal.

Quant au diégétique (Texte II), l'espace ne se distingue pas fondamentalement de son équivalent dans le roman ou dans les

---

13. Id., pp. 60-61. Il est significatif que cet espace diégétique est décrit par un personnage *aveugle*, comparable, en fait, à l'auditeur de la radio, incapable de percevoir l'espace (mimétique) évoqué par Madame Rooney. D'une façon analogue, Dylan Thomas (*Under Milk Wood*, New York, New Directions, 1954) et R. de Obaldia *Les Larmes de l'aveugle* in *Théâtre IV*, Paris, Grasset, 1968) se servent de personnages aveugles dans leur théâtre radiophonique...

14. Id., pp. 7-8.

pièces normales. L'espace diégétique à la radio a comme fonction de prolonger le lieu scénique, habituellement dans le passé, tandis que l'espace mimétique doit correspondre à ce qui est perçu par les personnages au présent. Il est évident, d'autre part, compte tenu des exemples cités, que les personnages radiophoniques ont tendance à se référer *plus explicitement* à l'espace par eux perçu.

On pourrait, enfin, établir une distinction entre deux catégories de l'espace mimétique au théâtre radiophonique : celui qui est représenté exclusivement par les bruitages et celui dont la transmission dépend totalement du langage. Dans le théâtre *non* radiophonique, l'espace mimétique n'est pas véhiculé par le langage : étant visible sur scène, il s'en passe ; s'il est référé, il est seulement ancré ou focalisé par les références du dialogue. Ainsi le langage du théâtre radiophonique possède une fonction double : celle de représenter l'espace (de le créer, en somme), celle de l'ancrer ou de le focaliser.

L'Espace comme système sémiotique

Reste un problème important. En admettant la pertinence de l'opposition mimétique/diégétique, il serait légitime de se demander si les unités spatiales qu'on relève correspondent à un véritable *système sémiotique.* Afin de pouvoir le déterminer, il est indispensable, me semble-t-il, d'avoir recours aux quatre conditions qui, selon E. Benveniste [15], caractérisent tout système sémiotique, à savoir :

1° un mode opératoire ;

2° un domaine de validité ;

3° un nombre de signes réduits ;

4° une relation unifiant les signes qui leur confère une fonction distinctive.

Explicitons ces termes. Le *mode opératoire* signifie le canal (visuel ou autre) au moyen duquel fonctionne le système éventuel. Le *domaine de validité* est celui où le système s'impose et doit être

---

15. E. Benveniste, *Problèmes de linguistique générale II,* Paris, Gallimard, 1974, pp. 43-66. En ce qui concerne l'espace dans les textes littéraires, voit I. Lotman, *La Structure du texte artistique,* Gallimard, 1973, notamment pp. 309-333, ainsi que mon étude, « Qu'est-ce que l'espace littéraire ? » *L'Information Littéraire,* N° 303, 1978, pp. 117-122.

reconnu ou obéi. La *relation unifiant les signes*, c'est le type de fonctionnement. Prenons un exemple concret. Soit les couleurs dans *Huis clos* de Sartre. Il s'agit d'un système ternaire : bleu/rouge/vert. Ce sont les couleurs des trois canapés, celles qui figurent les trois personnages : le bleu pour Estelle (vêtue d'une robe bleue), le vert pour Garcin, le rouge pour Inès. Ces trois couleurs se retrouvent toutes chez Estelle : une robe bleue, des yeux verts, les lèvres fardées de rouge. Ses mouvements sur la scène sont directement liés à ces éléments chromatiques : elle met son rouge à lèvres au moment où elle se trouve assise sur le canapé bordeaux d'Inès ; c'est lorsqu'Estelle vient s'asseoir sur le canapé vert de Garcin, que celui-ci remarque le vert de ses yeux ; enfin vêtue de bleu, en entrant sur scène, elle demande le canapé de Garcin qui est de cette même couleur. Et, comble de l'ironie sartrienne, Estelle évoque, vers la fin du texte, Saint-Louis *blues* !

Dans cet exemple, le mode opératoire est visuel (s'agissant de couleurs perçues par l'un des personnages surtout et par les spectateurs). Le domaine de validité est double, étant à la fois scénographique et vestimentaire. Quant au type de fonctionnement, il s'agit toujours de relations binaires (jamais ternaires), formées chaque fois sur l'initiative d'Estelle, celle-ci étant l'élément chromatique *mobile* permettant ces trois possibilités : bleu-bleu, bleu-rouge, bleu-vert. Ces alliances chromatiques s'apparentent d'une part aux ententes provisoires entre personnages (Estelle-Inès, Estelle-Garcin), de l'autre, à l'image d'une Estelle narcissique, dont la robe s'harmonise avec la couleur de son canapé, dont le rouge à lèvres se mire dans les yeux d'Inès, dont les yeux verts se reflètent dans le regard de Garcin.

On peut déceler dans *Huis clos* [16] toute une série de systèmes sémiotiques de l'espace, à partir du conflit entre le mimétique et le diégétique, entre l'univers du visible (le salon second Empire) et l'univers de l'invisible (les lieux d'existence sur terre de Garcin, d'Estelle, d'Inès), entre présent et passé, entre représentation et narration...

Un exemple bien plus complexe de l'espace à titre de système est fourni par *Les Bonnes* de Genet. Dans *Huis clos*, le mimétique s'oppose (conflictuellement) au diégétique ; dans *Les Bonnes*, l'espace montré est l'inverse même de l'espace référé (non montré). On pourrait schématiser ainsi le système spatial de la pièce de Genet :

---

16. Voir chapitre 7.

MIMÉTIQUE (Chambre de Madame)	DIÉGÉTIQUE (Lieux des bonnes et de Monsieur)

FENÊTRE (= PORTE-FENÊTRE)
BALCON
PORTE
MEUBLES
    coiffeuse
    lit Louis XV
    miroir
    armoire
    fauteuil
    bureau
    commode
 	
ACCESSOIRES
    rideaux
    couvre-lit (dentelle)
    fleurs
    éventail
    collier
    tapis
    miroir
    gants (en caoutchouc)
    téléphone
    cléf du secrétaire
    réveil
    théière, tasse, plateau
    escarpins vernis
    bâton de rouge à lèvres
COSTUMES
    robes noire
           rouge
           blanche
    cape de fourrure
    manteau de fourrure
	A : *Lieux des bonnes*
	
	A^1 MANSARDE
	    — *meubles* : lits de fer
	
	    (*pas* de miroir
	              tapis
	              mobilier)
	
	    — *aucun* balcon
	    — lucarne
	
	    — fleurs en papier
	A^2 CUISINE
	    — évier
	
	B : *Lieux de Monsieur*
	
	B^1 PRISON
	
	B^2 CAFÉ BILBOQUET
	
	C : *Accessoires*
	
	    lettres (écrites par les bonnes)

Il est évident que la chambre est l'antithèse de la mansarde.
Bon nombre de signaux du dialogue (références à la mansarde)
le confirment : le mobilier Louis XV et donc le confort et le
luxe de la chambre s'opposent à l'absence de meubles dans la
mansarde ; le lit Louis XV (avec son couvre-lit en dentelle) aux
lits de fer ; les fleurs réelles aux fleurs en papier ; la fenêtre
(porte-fenêtre) à la lucarne ; *l'absence* de tapis, meubles, fenêtres,
miroir, balcon dans la mansarde, à la *présence* de ces éléments
dans la chambre. La lucarne de la mansarde (mode d'accès pour

l'amant — diégétique — de Claire) est le pauvre reflet de la porte-fenêtre de la chambre. Dans la zone diégétique, deux sous-systèmes : mansarde/cuisine ; prison/café. La mansarde est le lieu de repos de Claire et Solange, la cuisine, leur [17] lieu de travail. Pour Monsieur, la prison représente la liberté supprimée, le café, la liberté regagnée. Les deux personnages diégétiques, Monsieur et le laitier Mario (amant de Claire), s'opposent l'un à l'autre sur le plan social.

A l'intérieur de la zone mimétique se manifestent de nombreux systèmes de signes, dont le plus évident est celui, ternaire, des robes noire, blanche, rouge [18]. Les accessoires forment plusieurs combinatoires, notamment, le téléphone, le réveil et la clef du secrétaire qui signalent tous les trois à Madame la culpabilité des bonnes. Le récepteur décroché, le réveil, la clef et les gants de caoutchouc, tous déplacés et retrouvés, par la suite, en lieu inapproprié, trahissent Claire et Solange. Mais ces trois objets, téléphone, réveil et clef, s'ils deviennent par la suite indices de culpabilité, permettent aux bonnes de tromper leur maîtresse en mieux dissimulant leur jeu : le téléphone relie la chambre au café ; la clef fournit la voie d'accès aux renseignements enfermés dans le bureau grâce auxquels Claire et Solange peuvent dénoncer Monsieur ; le réveil facilite le jeu rituel des bonnes, à l'insu de Madame. D'objets de dissimulation, ces trois accessoires se transforment en indices de culpabilité, subissant ainsi un radical renversement de fonction. Dramatiquement, ce qui est crucial dans *Les Bonnes,* c'est *le changement de place* : d'objets ou de

---

17. A noter cette précision de Madame s'adressant aux bonnes : « Il est vrai que la cuisine m'est un peu étrangère. Vous y êtes chez vous. C'est votre domaine. Vous en êtes les souveraines. », J. Genet, *Les Bonnes*, l'Arbalète, 1963, p. 71.

18. Il s'agit de robes-signes, bien sûr. La robe noire, uniforme de bonne, signale le jeu réel (« sincère ») chez Claire qui la met pour indiquer (aux spectateurs) la fin d'une « scène », celle du niveau inauthentique ou cérémonial. Les robes rouge et blanche (de Madame) signalent l'inverse, lorsque Claire les met pour jouer le rôle de Madame. Ce système sémiotique présente naturellement une certaine redondance pour permettre au public de démêler ce qui est, après tout, une action théâtrale assez complexe. Ainsi, par exemple, la sonnerie du réveil (p. 26) coïncide avec un changement de robe chez Claire, qui s'accompagne d'une allusion explicite (CLAIRE : « (...) Madame va rentrer. (*Elle commence à dégrafer sa robe*) Aide-moi (...) » p. 27.) conçue pour attirer l'attention du spectateur. Techniquement, les trois robes s'intègrent à deux codes différents : 1° tenues de Madame/tenue de bonne ; 2° (code de Madame) la robe blanche (« le deuil des reines » — cf. p. 18) pour signifier la « douleur » (factice ?) de Madame à la suite de l'emprisonnement de Monsieur, s'oppose à sa robe rouge, signe de sensualité (Cf. SOLANGE [jouant le rôle de Claire] : « Il m'est impossible d'oublier la poitrine de Madame sous le drapé de velours [écarlate] » p. 16.)

personnes. Ainsi les gants de caoutchouc et le réveil appartenant à la cuisine, aboutissent dans la chambre, le récepteur de téléphone (oublié) est décroché de son emplacement habituel, Monsieur, mis en liberté, passe de la prison au café ; Claire, enfin, se met sur le lit Louis XV et assume ainsi intégralement le rôle de Madame en buvant la tisane empoisonnée.

A ce système spatial s'associe un système sonore : sonneries du réveil-matin, du téléphone, à la porte. L'ensemble correspond à un dehors « réel », progressivement menaçant, qui envahit peu à peu l'univers « factice », (la chambre). La première sonnerie (le réveil) ramènent Claire et Solange à la « réalité », arrêtent leur « cérémonie » [19], la seconde (le téléphone) constitue l'intrusion effective du réel, indique aux bonnes que, Monsieur ayant été remis en liberté, elles sont, du coup, en danger ; la troisième (la porte) signale l'arrivée de Madame.

Cet espace de Genet est plein de surprises, de volte-face, de renversements ; les choses sont très loin d'être ce qu'elles semblent. Le dehors, apparemment dénué d'importance, envahit le dedans, anéantit le monde de Claire et de Solange. Ces « bonnes » peu fidèles au mot désignant leur métier, ayant réussi la dénonciation et donc l'emprisonnement de Monsieur, souhaitent l'assassinat de Madame (« au *clair* de *lune* nous la découperons... ») Claire est plus...obscure qu'on ne s'y attendrait, Solange, fort peu angélique...Si Claire et Solange tentent de renverser l'ordre social (l'espace semble symboliquement prometteur, leur mansarde prolétaire étant située *au-dessus* de la chambre bourgeoise car la lutte des classes (Claire, Solange contre Madame, Monsieur) soustend évidemment la pièce de Genet, leur révolution s'avorte : le complot ayant échoué, la meurtrière en herbe se tue prématurément.

Les catégories de la spatialité théâtrale, la relation mimétique/ diégétique, l'espace comme système sémiotique — tels sont les problèmes que nous venons de passer en revue. Il convient à présent, à la lumière des remarques qui précèdent, de dégager des

---

19. Ce réveil-matin est un signe à plusieurs sens : sa sonnerie (p. 26) signale un changement de niveau discursif (du « cérémonial » au réel), signale par là-même, comme la fin d'un entr'acte, et ce faisant, transforme la scène (l'aire de jeu) en salle (et vice versa ?) Jeu référentiel subtil qui s'apparente à celui de Ionesco dans *Les Chaises* (réplique de la Vieille : « Demandez le programme... »)

constantes, de tirer certaines conclusions. La distinction fondamentale entre l'espace montré (mimétique) et l'espace référé (diégétique) semble pertinente à l'ensemble du diapason dramatique.
Quand ils coexistent, le diégétique complète, le plus souvent, le
mimétique. Là où le mimétique est fixe (dans le cas de pièces à
décor unique), le diégétique sera habituellement non-fixe, c'est-
à-dire multiple. Les pièces « claustrophiles » — *Huis clos, Les
Bonnes, The Caretaker*, entre autres, — illustrent clairement ce
principe. Inversement, dans les pièces à plusieurs changements de
décor, l'espace diégétique, s'il est exploité, se manifeste en mode
mineur, se limitant le plus souvent à un lieu unique : des cas tels
qu'*Ubu roi, Un chapeau de paille d'Italie, Les Mouches, Nekrassov*
confirment cette hypothèse. Mais trouve-t-on obligatoirement
dans toute pièce espace(s) mimétique(s) *et* espace(s) diégéti-
que(s) ? En d'autres termes, peut-il exister un théâtre non-diégétique sur le plan spatial ? D'autre part, pourrait-on concevoir un
théâtre non-mimétique ? Il est évident que l'une ou l'autre de ces
formes théâtrales, si elles existaient, seraient des cas-limites.

Pour créer une pièce *non-diégétique,* il faudrait modérer sinon
éliminer totalement le canal exclusif du diégétique, à savoir le
texte prononcé sur scène. D'une façon analogue, un théâtre *non-
mimétique* exigerait la diminution sinon l'élimination du visuel.
Or, le premier cas existe, en l'occurrence chez Beckett : *Acte
sans paroles I* et *Acte sans paroles II* — le dialogue y étant
entièrement supprimé, l'espace est par conséquent exclusivement
mimétique. En revanche, un théâtre dénué intégralement de la
dimension mimétique ne saurait exister : ce serait une contradiction de termes. Nous voici à notre point de départ : si toute
pièce de théâtre doit se réaliser quelque part, le *quelque part*
est nécessairement visible. Pourtant le théâtre radiophonique se
rapproche le plus de notre forme hypothétique, l'espace visible y
étant supprimé entièrement. Même ce théâtre minimaliste arrive
à représenter le mimétique en empruntant le canal acoustique :
nous l'avons vu chez Beckett. Au théâtre, le mimétique n'est donc
pas exclusivement visuel. De ces considérations on peut conclure
que (à l'exception du théâtre radiophonique) toute pièce est
mimétique par définition : du fait de sa représentation concrète.
Toutefois, il va sans dire que le mimétique peut être subordonné
au diégétique comme chez Racine, par exemple, où est exclue
l'interaction entre espace et référence et où le décor (visible) n'a
qu'un rôle secondaire. Racine eût sans doute approuvé la diffusion
radiophonique de son théâtre !

Néanmoins le théâtre moderne fournit des exemples qui s'apparentent au non-mimétique où le mimétique cède la place primordiale au diégétique. Le verbal y prédomine, bien entendu, le visuel étant relégué au second plan. Il s'agit notamment de *La Voix humaine* de Cocteau et de *Pas moi* de Beckett. Chez Cocteau se manifestent un seul décor (une chambre), un seul personnage (une femme), un seul acte. L'action se limite à une conversation entre la femme et son amant. Seule la femme paraît sur scène ; le décor est sans importance. Dramatiquement le seul élément visuel pertinent c'est un objet, canal sonore qui permet la conversation : le téléphone. Celui-ci possède, du fait de son intrusion, un rôle actif : il fonctionne mal, fournissant interruptions, parasites, coupures. Beckett, comme il se doit, va encore plus loin. Il se plaît à démontrer, voire à éliminer tout un système de signes, pour voir ce qui reste : le mouvement dans *Oh les beaux jours*, le dialogue dans *Acte sans paroles* I et II, et, dans *Pas moi*, à l'exception d'une bouche béante et de quelques gestes, presque tout...Ainsi l'œuvre dramatique de Beckett contient les deux cas-limites ici soulevés : une pièce exclusivement mimétique, une autre exclusivement diégétique. Techniquement, elles constituent toutes deux une expérience sans doute indépassable, fort éclairante pour les questions qu'on vient d'explorer. A cela faut-il ajouter que la plupart des pièces de théâtre se situent entre ces deux pôles ; leur dimension dramaturgique et la complexité de leur sémiosis reposent le plus souvent sur la relation entre leur double spatialité et le problème de la référence.

6

LE VISIBLE ET L'INVISIBLE
(HUIS CLOS)

Dimension privilégiée au théâtre, l'espace a une existence complexe dans les œuvres écrites pour la scène. Contrairement à l'espace du récit, l'espace du théâtre est double, étant à la fois visuel et verbal. Visuel, car le verbe se fait chair, le discours devient spectacle : décor, accessoires, éclairage. Verbal aussi, car il existe, le plus souvent, un lieu ou des lieux extra-scéniques (diégétiques), évoqués expressément par les personnages. L'espace scénique (mimétique), perçu directement par les spectateurs, est *statique*, comparable de ce point de vue au domaine pictural [1]. L'espace extra-scénique, au contraire, étant médiatisé par le langage, est *dynamique*. Dynamique, car en ce cas la perception visuelle chez le spectateur est tributaire du temps, celui du texte, à mesure qu'il est dit par les acteurs. On perçoit de façon simultanée l'espace scénique (le décor) ; on perçoit de façon linéaire un espace hors-scène présenté verbalement [2].

Ce qui complique la dimension visuelle du théâtre c'est le verbe qui la fait naître, le langage. Celui-ci a trois fonctions. Il peut être méta-discours sur la spatialité (indications scéniques) ; il peut revêtir une fonction *métadramatique* [3] lorsque le code verbal (le

---

1. En ce qui concerne la perception dans le domaine de la peinture, voir l'ouvrage fondamental de Ernst Gombrich, *Art and Illusion*, Princeton, Princeton University Press, 1960 (trad. fr. *L'Art et l'illusion*, Paris, Gallimard, 1971) ainsi que celui de Rudolf Arnheim, *Visual Thinking*, Londres, Faber and Faber, 1970 (trad. *La Pensée visuelle*, Paris, Flammarion, 1976).
2. Voir les remarques de Michael Riffaterre, à propos de la perception du lecteur, dans ses *Essais de stylistique structurale*, Paris, Flammarion, 1971, p. 327-8.
3. Par ce terme, je désigne cette forme de *référence*, particulière au théâtre, qu'illustre, à presque chaque page, le texte de *Huis clos* (ce qui a dicté le choix de cette pièce pour l'étude que l'on va lire). Il s'agit des cas où le discours d'un personnage est centré soit sur un code scénographique (décor, accessoire ou éclairage) soit sur un code vestimentaire (costume, maquillage ou coiffure). Mais

dialogue) se réfère au code visuel : en ce cas il a tendance à *ancrer* le visuel, [4] c'est-à-dire à orienter la manière dont nous percevons le décor et sa signification ; il peut, enfin, figurer un espace extra-scénique, dont l'existence demeure purement verbale.

Or, qu'il soit scénique ou extra-scénique, l'espace théâtral constitue une série de systèmes de *communication* visuelle [5]. Le décor, les accessoires, l'éclairage, d'une part, le costume, la coiffure, le maquillage, les gestes et les mouvements de l'acteur, de l'autre, véhiculent, pendant la durée d'une représentation, des informations. Ces éléments, composantes de l'espace scénique, correspondent chacun à un code. L'espace extra-scénique fonctionne d'une manière analogue. L'auteur de *Huis clos*, tout comme un Beckett, un Pinter, un Vian et tant d'autres contemporains, accorde une importance particulière aux deux espaces théâtraux. Les lignes qui suivent se limiteront à une exploration de l'espace comme système dans la pièce de Sartre prise en exemple.

Dans une autre étude [6], j'ai proposé une analyse des codes de l'espace *scénique* de *Huis clos,* en abordant essentiellement celui

---

il est évident que cette fonction métadramatique, au sens où je l'entends ici, peut inclure la référence à d'autres codes théâtraux.

4. Cf. R. Barthes, « Rhétorique de l'image », *Communications*, 4, 1964, p. 40-51, qui analyse le statut, dans le domaine de l'affiche publicitaire, du verbal par rapport au visuel. V. aussi M. Butor, *Les Mots dans la peinture*, Genève, Skira, 1969.

5. Dans « Le signe au théâtre. Introduction à la sémiologie de l'art du spectacle », *Diogène*, 61 (1968), p. 59-70 (repris dans son ouvrage *Littérature et spectacle*, Paris et La Haye, Mouton, 1975, p. 160-221), Tadeusz Kowzan relève treize systèmes de signes : parole, ton, mimique, geste, mouvement, maquillage, coiffure, costume, accessoire, décor, éclairage, musique, bruitage que je regroupe sous deux rubriques, l'une visuelle, l'autre auditive.

6. V. « L'Espace et le regard dans *Huis clos* », *Magazine Littéraire* N° 103-4 [numéro spécial sur Sartre], septembre 1975, p. 22-27. Les travaux, même récents, consacrés au théâtre de Sartre se situent, le plus souvent, dans une perspective thématique ou idéologique. Citons à titre d'exemple : Dorothy McCall, *The Theatre of Jean-Paul Sartre*, New York, Columbia University Press, 1967 (dernière éd. 1971) ; Peter Royle, *L'Enfer et la liberté*. Étude de « *Huis clos* » et des « *Mouches* », Québec, Les Presses de l'Université Laval, 1973 ; Franck Laraque, *La Révolte dans le théâtre de Sartre*, Paris, Delarge, 1976 ; Bernard Lecherbonnier, *Huis clos, Sartre,* Paris, Hatier (« Profil d'une œuvre », 1972, Thomas Bishop, *Huis clos de Sartre,* Paris, Hachette (« Lire Aujourd'hui »), 1975. Rares sont les études qui tiennent compte de la *spécificité théâtrale*. Mentionnons toutefois l'article bref mais suggestif de Jacques Truchet (« *Huis clos* et *L'État de siège*, signes avant-coureurs de l'anti-théâtre » in J. Jacquot, *Le Théâtre moderne, II : Depuis la seconde guerre mondiale*, Paris, Éditions du C.N.R.S., 1967, p. 29-36) qui insiste à juste titre sur la parenté entre *Huis clos* et certaines caractéristiques du théâtre de l'absurde. V. aussi : Micheline Sakharoff, « The Polyvalence of the theatrical language in *No Exit* », *Modern Drama*, 16 (1973), p. 199-205 ainsi que

du mobilier et certaines relations, notamment : espace/regard, œil/regard/miroir/fenêtre, langage/costume ainsi que la fonction sémiotique des couleurs [7]. Il se manifeste dans ce texte un système ternaire : bleu/rouge/vert [8].

Il s'agira surtout ici de mettre l'accent sur la *dynamique* de l'espace. En effet, si l'espace scénique est mis en valeur dans *Huis clos*, l'espace hors-scène, celui qui est référé plutôt que montré, n'est pas moins important. Il faudra l'envisager en considérant plusieurs relations : espace/temps, espace/action et, enfin, espace extra-scénique/espace scénique.

La dimension spatio-temporelle correspond à deux temps distincts : celui du spectateur, celui des personnages. Celui du spectateur coïncide avec le déroulement du texte théâtral. A ce propos, la remarque de W. Iser s'applique, sans toutefois l'évoquer explicitement, à l'expérience perceptuelle du spectateur :

« As the literary text involves the reader in the formation of illusion and the simultaneous formation of the means whereby the illusion is punctured, reading reflects the process by which we gain experience. Once the reader is entangled, his own preconceptions are continually overtaken, so that the text becomes his « present » whilst his own ideas fade into the « past » ; as soon as this happens, he is open to the immediate experience of the text, which was impossible so long as his preconceptions were his « present » [9].

le chapitre consacré à *Huis clos* dans Robert Lorris, *Sartre dramaturge*, Paris, Nizet, 1975, p. 51-86.

7. Je préciserais que lorsqu'on envisage les couleurs du point de vue de la sémiotique théâtrale, il faut distinguer, tout comme dans le cas du code du langage, trois systèmes qui peuvent éventuellement se manifester : les couleurs du méta-discours (dans les indications scéniques), celles du niveau métadramatique (dans les propos des personnages sur les éléments matérialisés et donc visibles sur la scène), celles, enfin, du niveau purement diégétique (référées dans le dialogue, mais non montrées). Dans le cas présent, il s'agit à l'exception du *bleu* métaphorique de Saint-Louis *blues*, de couleurs métadramatiques. Est-il besoin de rappeler, en outre, que dans cette perspective sémiotique, il ne s'agit en aucun cas d'un système chromatique fixe ou préétabli. A ce propos, Benveniste fait remarquer pertinemment que « la valeur d'un signe se définit seulement dans le système qui l'intègre. Il n'y a pas de signe trans-systématique. » (*Problèmes de linguistique générale, II*, Paris, Gallimard, 1974, p. 53.)

8. Cf. chapitre 6.

9. « The Reading process : a Phenomenological Approach » *New Literary History*, Vol. 3, N° 2 (1972), p. 295. Cet article a été repris dans l'ouvrage d'Iser, *The*

Il serait légitime de conclure que le spectateur, tout comme le lecteur, remplace sa propre temporalité en adoptant celle des personnages sur scène. Celle des personnages, au contraire, et surtout dans *Huis clos*, est double, car Estelle, Garcin et Inès évoquent chacun d'une part les actions du *passé*, situées dans divers espaces vécus, et, de l'autre, subissent celles qui sont *contemporaines du déroulement de la pièce*. Ainsi, l'espace hors-scène se subdivise en deux zones : l'espace du passé, l'espace du présent. L'action de la pièce, on le verra, découle précisément de l'interaction entre deux relations : espace scénique/espace extra-scénique, espace du passé/espace du présent.

Le temps *présent* des personnages est la mort, leur temps *passé* est la vie. Il s'ensuit que l'espace scénique est celui de la non-action, l'espace hors-scène, celui de l'action. C'est là, d'ailleurs, à peu de choses près, une définition du théâtre de Racine... Ainsi, Garcin, Inès et Estelle, personnages morts, incapables d'agir et donc dénués de liberté, ne sont que des fantômes. Lorsqu'ils paraissent devant nous sur le plateau, ils se *re*-présentent et n'entretiennent qu'une relation de ressemblance avec leur contrepartie en chair et en os. D'où leur statut quasiment iconique sur la scène [10]. Leur espace scénique correspond parfaitement à leur statut : ils sont enfermés avec un mobilier, lui-même le pâle reflet d'une glorieuse époque : il s'agit d'un salon Second Empire. Tout comme les personnages, ces meubles *figurent* un passé en s'y référant. Ou bien, pour adapter la formule de Bogatyrev, ce sont les *signes de signes* du passé [11]. Le bronze, de même, étant de Barbedienne, ce fondeur du XIXe siècle qui *reproduisait* les œuvres sculptées déjà existantes, n'est qu'une représentation d'une représentation du réel.

Un objet, d'après Sartre, n'a comme essence que celle qui a été pour lui prévue par l'artisan, ce qui correspond à sa fonction concrète [12]. Ainsi, le coupe-papier, en l'absence de livres ou de

---

Implied Reader, Baltimore et Londres, The Johns Hopkins University Press, 1974, p. 274-294.

10. En ce qui concerne la distinction icone/symbole/indice, cf. Charles Sanders Peirce, *The Collected Papers of Ch. S. Peirce* Ed. by Charles Hartshorne et Paul Weiss, Vol II : *Elements of logic*, Cambridge (Mass.), Harvard University Press, 1932 (v. en particulier Ch. III : « The Icon, Index and Symbol », p. 156-173) V. également Charles Morris, *Signs, Language and Behavior*, New York, Prentice Hall, 1946 (notamment p. 190-192 : « The Significance of Non-Vocal Signs »).

11. V. P. Bogatyrev, « Les signes du théâtre », *Poétique*, 8, (1971), p. 517-530.

12. Voir *L'Existentialisme est un humanisme*, Paris, Nagel, 1946 et notamment ces remarques : « Lorsqu'on considère un objet fabriqué, comme par exemple un

papier, devient absurde. De même qu'un objet réel, l'accessoire au théâtre acquiert une *fonction*, mais celle-ci dépasse son statut utilitaire : il devient un *signe théâtral*, conforme aux attributs (symboliques ou autres) qui lui sont accordés par le dramaturge ou par le metteur en scène. Le coupe-papier de *Huis-clos*, privé de pages à couper, devient un objet *de trop* (au même titre que les personnages) : inutile aussi comme instrument de meurtre, les personnages étant déjà morts. En revanche, son rôle dans la pièce est de marquer une absence, celle de ses fonctions. La sonnette qui ne sonne pas, la porte qui n'offre pas d'issue, l'éclairage qui ne s'éteint pas, ont tous une raison d'être analogue : ils imposent aux personnages la torture par l'absence. Ce décor n'est que le reflet d'un décor.

Dans cet espace fantomatique, que font les personnages ? J'en viens à la relation espace/action. Question d'apparence fort simple. Mais l'apparence est trompeuse : une lecture attentive du texte montre que, abstraction faite des événements passés *évoqués*, l'action qui se déroule devant nous demeure minime. A vrai dire, elle avance au fur et à mesure que l'on recule dans le passé des personnages ; ce qui nous rapproche du domaine du roman policier. Dans une étude consacrée à ce propos, Todorov fait remarquer à juste titre qu'à

> « la base du roman à énigme nous trouvons une dualité (...) Ce roman ne contient pas une mais deux histoires : l'histoire du crime et l'histoire de l'enquête (...) La première histoire, celle du crime, est terminée avant que ne commence la seconde. Mais que se passe-t-il dans la seconde ? Peu de choses. Les personnages de cette seconde histoire, l'histoire de l'enquête, n'agissent pas, ils apprennent. Rien ne peut leur arriver : une règle du genre postule l'immunité du détective » [13].

---

livre ou un coupe-papier, cet objet a été fabriqué par un artisan qui s'est inspiré d'un concept ; il s'est référé au concept de coupe-papier, et également à une technique de production préalable qui fait partie du concept, et qui est au fond une recette. Ainsi, le coupe-papier est à la fois un objet qui se produit d'une certaine manière et qui, d'autre part, a une utilité définie (...) Nous dirons donc que, pour le coupe-papier, l'essence — c'est-à-dire l'ensemble des recettes et des qualités qui permettent de le produire et de le définir — précède l'existence. » (p. 17-18).

13. V. Todorov, *Poétique de la prose*, Paris, Seuil, 1971. Passage cité : p. 57.

De telles observations s'appliquent pertinemment, sans pourtant s'y référer, à la pièce de Sartre. Faut-il préciser que c'est Inès qui tient le rôle du détective : elle ne cesse de harceler Estelle et Garcin jusqu'à ce qu'elle arrive à provoquer chez eux une confession intégrale.

A considérer la *dynamique* du système spatial, il faudra envisager notamment la relation espace scénique/espace hors-scène. Rappelons au préalable les trois volets du système spatial : espace scénique, espace extra-scénique du présent, espace extra-scénique du passé. Or, le texte de la pièce se divise en deux parties : l'exposition, Scènes (i) à (iv) (c'est-à-dire l'entrée et la présentation des personnages) et le développement, à savoir la cinquième (et principale) scène. Dans l'exposition, il est surtout question de l'espace *scénique* : le décor, les accessoires, et la réaction des personnages devant ces éléments. L'espace extra-scénique s'efface provisoirement. Tout se complique dans le développement où s'entrecroisent les trois modes spatiaux. La scène (v) s'articule en trois mouvements ainsi :

I. — évocation autonome de l'espace extra-scénique du présent ; remarques (d'Estelle et d'Inès) sur l'espace scénique, en particulier sur les meubles ;

II. — intersection des espaces scénique et extra-scénique, ce qui donne lieu aux confessions intégrales des personnages ;

III. — éclipse de l'espace extra-scénique, ce qui entraîne deux conséquences : Garcin rejette Estelle, essaie de s'évader ; Estelle tente d'assassiner Inès. (Deux moments forts de la pièce, produisant une tension considérable.)

L'espace du *présent* est peu développé par rapport à celui du passé.

Dans ses références à son espace extra-scénique du présent, Garcin parle presque exclusivement de la salle de rédaction de son journal. On relève une constante dans ses propos : la fenêtre, celle-ci figurant l'appel réitéré d'une liberté toujours possible. Les seuls autres éléments qu'évoque Garcin dans son présent sont la caserne et sa femme assise à la maison. Dans les deux cas se manifestent des détails que le personnage tente en vain de réprimer :

(a) « Elle est venue à la caserne comme tous les jours (...) Il fait un beau soleil et elle est toute noire dans la rue déserte, avec ses grands yeux de victime. Ah ! Elle m'agace. » (p. 127-8) [14].

On aura noté dans ce passage les *yeux*, c'est-à-dire le regard qui poursuit Garcin au-delà de la tombe, ainsi que le *soleil* qui, tout comme l'ampoule électrique de l'espace scénique, décontenance le personnage.

(b) « Elle est assise près de la fenêtre et elle a pris mon veston sur ses genoux. Le veston aux douze trous. » (142).

La femme et le veston historique reparaissent encore sous l'emblème de la fenêtre-liberté. Les signaux de cette même liberté, on les retrouve aussi dans l'espace passé de Garcin : que ce soit l'espace ouvert, lieu de sa désertion, la prairie de son rêve ou même sa cellule dont la fenêtre est de nouveau évoquée.

Estelle, en parlant de son passé, se réfère à sa chambre et à celle de l'hôtel en Suisse ; elle remémore, quant à son espace extra-scénique présent, sa chambre et un dancing. Son dehors, le balcon de la chambre en Suisse, devient le lieu de son crime : elle jette son enfant par la fenêtre. Son intérieur, celui de son présent tout comme celui de son passé, se borne à sa propre image reflétée dans un miroir :

« Il y a six grandes glaces dans ma chambre à coucher. Je les vois. Je les vois. Mais elles ne me voient pas. Elles reflètent la causeuse, le tapis, la fenêtre... comme c'est vide, une glace où je ne suis pas. Quand je parlais, je m'arrangeais pour qu'il y en ait une où je puisse me regarder. Je parlais, je me voyais parler. Je me voyais comme les gens me voyaient, ça me tenait éveillée. » (136).

Pour Estelle, la fenêtre-liberté n'est perçue que sous forme d'un *reflet* ; elle est autrement la voie de son crime. Je reviendrai à la scène du dancing.

Quant à Inès, l'espace de son présent et celui de son passé sont identiques ; ils se limitent à sa chambre. Celle-ci, mentionnée brièvement dans l'évocation de son passé, est décrite à trois reprises dans son espace présent. Les deux premières fois, le personnage insiste sur le fait que la chambre est vide, dans le noir, les volets fermés. En revanche, la troisième fois, le lieu se transforme.

---

14. Les référence à *Huis clos* renvoient à l'édition Gallimard de 1947 (*Théâtre*).

Inès constate avec horreur que les fenêtres sont ouvertes, la pièce inondée de soleil, qu'un homme est sur le point d'embrasser une femme sur son lit. Tout comme Garcin, Inès est dévisagée par le soleil (symbolique), par la chambre ouverte à la lumière, et surtout, par la vision d'un couple entretenant des relations sexuelles normales. Cette vision lui rappelle, de façon gênante, sa mauvaise foi à l'égard de Florence.

La dialectique de l'ouvert/clos, de l'espace scénique et de l'espace hors-scène, s'esquisse déjà nettement. Les trois personnages, claustrés dans un espace scénique sans fenêtres, dévisagés chacun par les deux autres, par leurs dehors individuels, ainsi que par l'éclairage continu, implacable, revivent, en le remémorant, leur espace vécu, dont les lieux ouverts, les miroirs, les fenêtres, le regard des vivants et la lumière éclatante d'un soleil menaçant les décontenancent à leur tour.

Quant au deuxième mouvement de la scène principale, il s'agit de l'intersection des espaces scénique et extra-scénique, en d'autres termes, d'une confrontation des dimensions statique et dynamique de la pièce. Par intersection des espaces, j'entends les moments où le déroulement de l'action représentée sur scène est interrompu par l'espace hors-scène évoqué par un personnage. Il se produit alors comme un conflit des espaces, dont l'issue, de prime abord, apparaît incertaine. De telles situations conflictuelles provoquent dans l'action scénique un développement fondamental ; elles correspondent grosso modo à ce que Barthes appelle les *fonctions cardinales* du récit [15].

On peut distinguer trois moments-clés où se manifeste une telle intersection et chacun possède d'importantes répercussions. Il s'agit d'Estelle qui : 1) cherche un miroir ; 2) évoque un dancing ; 3) s'assied sur le canapé de Garcin.

Estelle cherche un miroir aussitôt que Garcin propose le pacte de silence. Gênée par l'absence d'un miroir, Estelle en demande un avec insistance aux deux autres. En disant : « Je me sens drôle. Ça ne vous fait pas cet effet-là à vous : quand je ne me vois pas, j'ai beau me tâter, je me demande si j'existe pour de vrai » (135-6), elle révèle son profond malaise. Estelle évoque ensuite l'espace hors-scène de sa chambre avec ses glaces. Inès lui propose ses services : « Voulez-vous que je vous serve de miroir ? Venez, je

---

15. Cf. son article, « Introduction à l'analyse structurale des récits », in *Communications*, 8, 1966, p. 1-27 (repris dans : R. Barthes, W. Kayser, W.C. Booth, Ph. Hamon, *Poétique du récit*, Paris, Seuil (« Points »), 1977, p. 7— 57.)

vous invite chez moi. Asseyez-vous sur mon canapé. » (136) Cette scène, avec les répliques qui suivent où Inès continue à tenir le rôle du miroir, provoque l'irritation de Garcin, agacé par le bavardage des deux autres, ainsi que son insistance sur de nouvelles confessions de chacun, cette foi-ci intégrales.

Dramatiquement, c'est le second cas d'intersection, celui du dancing, qui est surtout pertinent. Estelle revoit sur terre un amant, Pierre, danser avec sa meilleure amie, Olga. Furieuse, elle danse elle-même sur scène, tout en visionnant la séquence et en entendant Saint-Louis blues. La terre la quitte : son existence hors-scène s'estompe, s'efface. Cette scène a deux conséquences importantes : Estelle se jette dans les bras de Garcin (pour se rassurer) ; elle suscite la jalousie d'Inès, ce qui entraîne la troisième et dernière intersection spatiale : Estelle vient s'asseoir sur le canapé de Garcin. Déplacement scénique capital, son issue s'impose. Les personnages s'embrassent, mais ils sont interrompus par une vision extra-scénique, perçue cette fois-ci par Garcin, qui entend parler de lui au journal, sur terre. Résultat : Estelle pour tranquilliser Garcin, lui propose un autre espace (scénique) compensatoire — son corps — pour remplacer celui, extra-scénique, qui le dévisage (les camarades convaincus de sa lâcheté) : « Regarde-moi, mon chéri : Touche-moi, touche-moi. Mets ta main sur ma gorge. Laisse ta main ; laisse-la, ne bouge pas. Ils vont mourir un à un : qu'importe ce qu'ils pensent. Oublie-les. Il n'y a que moi. » (160). Garcin rejette cette séduisante solution, jugée peu satisfaisante (« Je ne veux pas m'enliser dans tes yeux. Tu es moite ! tu es molle ! Tu es une pieuvre, tu es un marécage... » (162). Ce qui donne lieu à deux conséquences, inutiles : une tentative d'évasion (chez Garcin), une tentative d'assassinat (chez Estelle). Elles résultent toutes deux de la disparition totale de l'espace extra-scénique devant les trois personnages, au cours de l'intersection spatiale. L'espace extra-scénique, et donc l'ailleurs, une fois supprimé, les personnages se rendent compte de l'inévitable et implacable regard d'autrui, désormais impitoyable : à la suite des confessions respectives de chacun, qui les mettent tous à nu, ainsi qu'après la fin de cette évasion que fut l'espace hors-scène.

Revenons finalement à la dualité d'action qui caractérise *Huis clos* : histoire de l'enquête, histoire des crimes. Cette dualité correspond en fait assez étroitement à la distinction, posée par les

Formalistes russes, entre *fable* et *sujet*. La fable est la série des
événements réels tels qu'ils se sont déroulés dans la vie, tandis
que le sujet est « l'agencement particulier donné à ces événements
par l'auteur » [16]. La reformulation d'E. Benveniste — *histoire/discours* — permet d'expliciter davantage l'opposition entre les événements inventés par Estelle et Garcin devenus « narrateurs » qui
se racontent, et les événements réels. L'énonciation historique
(*l'histoire*), écrit-il, dans un passage souvent cité, c'est « la présentation des faits survenus à un certain moment du temps, sans
aucune intervention du locuteur dans le récit. Pour qu'ils puissent
être enregistrés comme s'étant produits, ces faits doivent appartenir au passé » [17].

Par *discours*, il faut entendre « toute énonciation supposant un
locuteur et un auditeur, et chez le premier *l'intention d'influencer
l'autre* en quelque manière » [18].

On pourrait donc soutenir que la majeure partie des remarques
d'Estelle et de Garcin concernant leur passé, correspond au *discours*, tandis que leur confession sous le harcèlement insistant du
détective Inès relève de *l'histoire*. Le style, bien entendu, met en
relief ces modes de communication. Deux brefs exemples, choisis
parmi les propos d'un même personnage, suffiront pour illustrer
clairement cette opposition. Voici donc deux répliques d'Estelle,
la première tout juste après son entrée en scène, la seconde au
moment même de sa confession :

(a) « Oh ! cher monsieur, si seulement vous vouliez bien ne pas
user de mots si crus. C'est...c'est choquant. Et finalement, qu'est-
ce que ça veut dire ? Peut-être n'avons-nous jamais été si vivants.
S'il faut absolument nommer cet...état de choses, je propose qu'on
nous appelle des absents, ce sera plus correct. Vous êtes absent
depuis lontemps ? » (127).

(b) « Il voulait me faire un enfant (...) Je suis allée passer cinq
mois en Suisse. Personne n'a rien su. C'était une fille. Roger était
près de moi quand elle est née. Ça l'amusait d'avoir une fille. Pas
moi. (...) Il y avait un balcon au-dessus d'un lac. J'ai apporté une
grosse pierre (...) Il a tout vu. Il s'est penché sur le balcon et il a
vu les ronds sur le lac. » (146).

---

16. Todorov, *Poétique de la prose*, p. 39.
17. E. Benveniste, *Problèmes de linguistique générale I*, Paris, Gallimard, 1966,
p. 239.
18. Id., p. 242. C'est nous qui soulignons.

Estelle change radicalement de style. Le premier passage révèle toute la subjectivité du *discours* : adjectifs multiples, choix très calculé de termes : le deuxième épouse la catégorie de *l'histoire* : ton sec, sobre, style haché, aucun adjectif, quasiment aucune intervention du locuteur.

L'analyse de la dynamique spatiale de *Huis clos* révèle toute une série de dualités, que ce soit au niveau de l'action, à celui de la spatialité, des personnages, de la temporalité. De telles dualités correspondent à une dialectique qui est le noyau même du chef-d'œuvre de Sartre. Mais cette opposition — entre les trois êtres sur scène et leurs fantômes hors-scène, entre l'espace perceptible et l'espace référé, entre le présent et le passé, entre fable et sujet, discours et récit — relève d'une tension autrement profonde : celle d'Aristote, entre la mimésis et la diégésis, bref, entre le dramatique et le narratif. Le narratif — histoire des crimes, espace hors-scène, temps passé, personnages-fantômes — se laisse progressivement effacer par le dramatique, c'est-à-dire par l'univers du visible. C'est dans ce conflit entre le visible et l'invisible que réside, me semble-t-il, le ressort principal de la pièce de Sartre.

7

CLAUSTRATION ET RÉFÉRENCE :
LES SÉQUESTRÉS D'ALTONA

Le titre, comme celui de *Huis clos*, privilégie la spatialité, indique d'emblée l'élément dominant la hiérarchie des systèmes de signes. *Les* Séquestrés, et non *Le* Séquestré, car Frantz n'est pas l'unique personnage claustré, ainsi que l'ont fait remarquer la plupart des commentateurs [1]. Tout comme Pierre dans *La Chambre*, Frantz choisit volontairement la séquestration, celle-ci entraînant pour ses proches une situation semblable. Le mouvement de la pièce dans son ensemble, découle des tentatives, subtilement orchestrées par le Père, de faire sortir Frantz de la chambre close. A l'intérieur de cet univers de claustration se trouvent deux espaces, celui d'en haut, lieu du séquestré Frantz, celui d'en bas, zone de la famille Gerlach. Celui d'en bas se scinde en deux aires : le salon (le « salon bleu ») et le bureau de Werner (le « salon rose »). Les espaces mimétiques dans *Les Séquestrés* sont donc au nombre de trois : le salon, le bureau de Werner, la chambre de Frantz. Il est évident, tout d'abord, que le haut et le bas sont opposés l'un à l'autre, et cela en raison de plusieurs éléments antithétiques. Chez Frantz, la fenêtre est condamnée, et l'extérieur ainsi supprimé ; dans le salon, au contraire, se trouvent deux portes-fenêtres menant à un parc : le dehors demeure donc ici visible et accessible. Les meubles du salon, « prétentieux et laids (...) datant de la fin du XIXe siècle allemand », selon la didascalie [2], représentent sans doute le pouvoir contraignant de l'Histoire, tandis que le mobilier cassé et les bibelots détériorés de la chambre de Frantz figurent le détritus du passé individuel que subit le claustré. Les espaces sont tous les deux rangés sous un emblème mensonger :

---

1. A titre d'exemple, voir M. Contat, *Explication des « Séquestrés d'Altona »*, Paris, Minard (*Archives des Lettres Modernes*, N$^{os.}$ 277-282) 1968.
2. J-P. Sartre, *Les Séquestrés d'Altona*, Paris, Gallimard, 1960, p. 13. (Les références renvoient à l'édition de 1967).

en bas, la photo de Frantz, couverte de crêpe, comme s'il était
mort, en haut, celle de Hitler, comme s'il était vivant. Au rez-de-
chaussée, la Bible, placée sur une table, est censée veiller sur
la parole familiale, lorsqu'on prête serment sur la demande de
Gerlach ; au premier, chez Frantz, c'est le magnétophone qui est
dieu de la parole (mensongère ou non), la conservant pour la
postérité. Voilà, en somme, la description statique de deux espaces antinomiques. Mais quelle en est la dynamique ? Quelles sont
les lois régissant cet univers double ? Et de quelle façon l'espace
diégétique se manifeste-t-il ?

L'espace diégétique tout d'abord. A examiner de près le texte
des *Séquestrés*, on constate que, abstraction faite de quelque brèves allusions à des lieux hors-scène du passé, l'espace diégétique,
tel qu'il fonctionne, par exemple, dans *Huis clos* ou dans *Les
Bonnes*, est quasiment gommé. Aucun lieu extra-scénique n'est
évoqué en détail. Aux claustrés que sont Frantz, Léni, Johanna,
Werner et Von Gerlach, aucune évasion n'est permise, même par
le truchement du langage.

En revanche, à la place d'un espace diégétique, on relève dans
Les Séquestrés ce qu'on pourrait nommer une *diégèse mimétisée* :
c'est-à-dire, concrètement, les scènes-souvenirs aux Actes I et IV
et le rêve de Frantz au IIe Acte. Au Ier Acte s'inscrivent trois
petites scènes ponctuant la mimésis normale, exploitées sans doute
aux fins d'un exposition plus dynamique. Il s'agit du retour de
Frantz à la maison, de l'épisode du rabbin polonais, de l'arrivée
des officiers américains. Elles sont déclenchées respectivement
par le Père dans les deux premiers cas, par Léni et le Père, dans
le troisième. Techniquement, l'intérêt de ses scènes, c'est que le
personnage qui les déclenche, fonctionne simultanément à *deux*
niveaux : il s'adresse à la fois à ceux qu'il évoque ainsi qu'à ceux
pour qui il déclenche l'évocation. Voici un exemple type, extrait
de la scène du retour de Frantz au foyer familial, où Von Gerlach
expose le passé à Johanna :

> Le Père. — (*Le Père se retourne vers Johanna.*) Vous ne lisiez pas
> les journaux de l'époque ?
> Johanna. — Guère. J'avais douze ans.
> Le Père. — (...) Et toi, Frantz, toi qui t'es battu jusqu'au bout ?
> (...) Tu es nazi ?
> Frantz. — Foutre non ! [3]

---

3. Pp. 42-43.

Au premier acte, se déroulent deux temps qui s'entremêlent : celui de l'exposition (temps du présent), celui des flashbacks (temps du passé). Mais le temps est spatialisé, ce qui permet de distinguer les deux temporalités, et cela sur le plateau lui-même : Frantz fait son apparition dans une zone de pénombre, les Américains, au fond de la scène. Ainsi, le personnage faisant l'évocation se situe à la fois dans les deux fuseaux horaires. Dans le cas de Von Gerlach, cette technique est conçue, évidemment, pour mettre en relief son rôle symbolique de régisseur, car c'est lui qui tire toujours les ficelles du jeu, dans le passé comme dans le présent : pour sauver son fils, il manipule S.S. et officiers américains ; pour déterminer encore l'issue des événements, il envoie Johanna dans la chambre close, après lui avoir donné des consignes précises pour son entrée en scène (« il faut être belle ») et choisi l'heure de sa visite.

Sémiotiquement, ces scènes-souvenirs — celles notamment du premier acte — présentent en outre un élément inédit : le référent qui s'y manifeste est non seulement la réalité extra-linguistique *dont* on parle, mais aussi celle *à laquelle on s'adresse* : en particulier dans le cas du Père, qui s'installe simultanément dans une double zone spatio-temporelle, et par là-même, dans un double système référentiel.

Quant aux autres scènes-souvenirs, représentées et évoquées par Frantz au second ainsi qu'au quatrième acte, elles sont mises en opposition avec celles, déclenchées au premier acte, par le Père. Chez Frantz, il s'agit d'un cauchemar subi (acte II), d'un rêve diurne obsessionnel (acte IV), soit, vers la fin du quatrième acte, d'une tentative d'auto-justification auprès de Johanna. Tentative aussitôt avortée, grâce à l'intervention de Léni, dont le comportement rappelle celui d'Inès dans *Huis clos*. D'autre part, on constate que Frantz, contrairement à son père, ne participe dans les scènes-souvenirs (à l'exception de celle de son auto-justification) qu'à un seul niveau spatio-temporel et donc référentiel. Le tortionnaire Frantz subit la contrainte de l'espace-temps qu'il ne saurait dominer malgré tous ses efforts ; le dénonciateur Gerlach, quant à lui, demeuré régisseur des destins d'autrui, continue comme avant de rester maître de toute situation.

Ces exemples de diégèse mimétisée révèlent, dans une certaine mesure, la dynamique de l'univers des séquestrés. Essayons de dégager maintenant les autres lois régissant l'existence de ces

Gerlach, qui sont de guerre las... Voici donc, en termes pseudo-juridiques, les données initiales, telles qu'elles se présentent au lever du rideau :

CODE DES SÉQUESTRÉS

ARTICLE 1er : A la seule exception de la sœur du claustré, Mlle Léni Von Gerlach, personne habitant la zone inférieure (rez-de-chaussée) ne doit pénétrer dans la zone supérieure (1er étage).

ARTICLE 2 : Pour avoir accès au 1er étage, ladite sœur est tenue de se conformer au signal convenu.

ARTICLE 3 : Lors de ses visites, ladite sœur doit adopter intégralement et le langage et la perspective historique du claustré.

ARTICLE 4 : Interdiction formelle de vendre ou de louer la maison ; interdiction de la quitter.

Le déroulement et le développement de la pièce correspondront à des infractions à l'endroit de chaque article de ce code dont le but est de permettre la coexistence pacifique de deux univers irréconciliables.

Deux langages, deux vies, selon le mot de Johanna... Reste à parler du double code verbal dans *Les Séquestrés*, celui dont on fait usage chez les Gerlach et celui qui opère dans la chambre de Frantz. S'il se manifeste dans cette pièce deux niveaux langagiers (référentiels) distincts, celui du claustré constitue l'écart par rapport à la norme qu'est celui de la zone inférieure. Mais le fonctionnement de ce code-écart est complexe en ce sens qu'on peut y déceler au moins cinq sous-codes, à savoir : le discours « normal » d'avant la séquestration (dans les scènes-souvenirs) ; le discours pour magnétophone (celui de l'Histoire rédigée par Frantz) ; le discours de la folie (dialogue avec les Crabes, etc.) ; le dialogue Frantz-Léni, et enfin, le dialogue Frantz-Johanna. Conformément au système de redondance sémiotique couramment mis en œuvre au théâtre, le discours « normal » du claustré est démarqué par rapport aux autres, grâce à l'emploi simultané de deux autres codes : le vestimentaire (le port d'une tenue civile) et l'éclairage (la zone de pénombre dans laquelle apparaît le personnage). Dans le cas de tous les autres niveaux du discours, le protagoniste est vêtu d'une tenue militaire en loques. Notons enfin que le discours normal se limite aux seuls moments où Frantz se trouve en dehors de sa chambre : pendant les scènes-souvenirs du premier acte (déclenchées — au rez-de-chaussé — par Gerlach et Léni), pendant ses rêves, et enfin, pendant l'entretien avec son père, quand il renonce à son enfermement au dernier acte pour le rejoindre dans la zone inférieure. A ce moment-là, le discours montre un personnage ayant enfin atteint à la lucidité, contemplant dans toute leur horreur les actes qu'il se voit contraint d'assumer :

> « J'ai torturé. Vous entendez ? (...) C'est tout. Les partisans nous harcelaient ; ils avaient la complicité du village : j'ai tenté de faire parler les villageois. (...) Mon cher père, autant vous prévenir : je suis tortionnaire parce que vous êtes dénonciateur » [4].

Mais avant d'en arriver là, le protagoniste des *Séquestrés* a recours aux autres modes de discours, correspondant tous, à des degrés variables, soit à une mauvaise foi (discours pour magnétophone, discours de la folie), soit à une tentative d'imposer à autrui une complicité morale (dialogues Frantz-Léni, Frantz-Johanna). A ce point de vue, son comportement est comparable à celui de Garcin dans *Huis clos* et aussi, dans une certaine mesure, à celui de Hugo dans *Les Mains sales*.

Le discours pour magnétophone, tout comme celui de la folie — les deux se recoupent en fait à plusieurs reprises — contient tout un système référentiel fantaisiste (« Les faits, je m'en fous, dit Frantz, tout en soutenant qu'il écrit "l'Histoire" »). Il s'agit des moments où les référents des énoncés de Frantz s'écartent totalement de la réalité, lorsqu'il parle, par exemple, en ces termes, à Johanna ou à Léni, de l'Allemagne de 1959 :

> « Je ne ferai pas le circuit touristique des cathédrales détruites et des fabriques incendiées, je ne rendrai pas visite aux familles entassées dans les caves... » [5].

Le discours du même personnage atteint le délire lorsqu'il s'adresse à des « interlocuteurs » crustacés demeurant invisibles : « Envoyez les phares, vous autres : plein feu ; dans la gueule, au fond des yeux, ça réveille. (*Il attend.*) Salauds : (*Il va vers sa chaise. D'une voix molle et conciliante.*) Eh bien, je vais m'asseoir un peu... » [6].

---

4. P. 204.
5. Pp. 109-110.
6. P. 94.

A cet idiolecte de la folie, la sœur du claustré apporte sa complicité active :

> Léni. — Je témoigne que tout s'effondre.
> Frantz. — Plus fort !
> Léni. — Tout s'effondre.
> Frantz. — De Munich, que reste-t-il ?
> Léni. — Une paire de briques.
> Frantz. — Hambourg ?
> Léni. — C'est le *no man's land.*
> Frantz. — Les derniers Allemands, où sont-ils ?
> Léni. — Dans les caves [7].

Au point même qu'elle assume parfois intégralement son jeu (« Tes crabes, je les accepte, je me soumets à leur tribunal. (...) Crustacés, je vous révère » [8]). Cependant, dans le domaine de ses relations sexuelles avec Frantz, elle refuse d'être complice de sa mauvaise foi :

> Frantz. — Tu exagères toujours !
> Léni. — Tu n'es pas mon frère ?
> Frantz. — Mais si, mais si.
> Léni. — Tu n'as pas couché avec moi ?
> Frantz. — Si peu.
> Léni. — (...) As-tu si peur des mots ? (...)
> Frantz. — Je tiens à déclarer que jamais Frantz, fils aîné des Gerlach n'a désiré Léni, sa sœur cadette.
> Léni. — Lâche ! [9].

Dans les domaines autres que celui de la sexualité, Léni est toute disposée à accepter son frère tel qu'il est : son discours, sa folie, ses fantasmes. Son comportement s'apparente à celui d'Ève dans *La Chambre.* [10]

Dans les entretiens Johanna-Frantz, au contraire, se dessine une tentative, renouvelée dans le discours de Johanna à plus d'une reprise, de ramener Frantz à la lucidité. A la différence de Léni, elle ne veut admettre sa folie, se reprochant devant Von Gerlach d'avoir, malgré elle, joué dans une certaine mesure le jeu du mensonge dans la chambre du claustré : « Je n'ouvre pas la

---

7. P. 87.
8. P. 112.
9. P. 91.
10. Voir mon étude, « *La Chambre* ou les séquestrés de Sartre, » in *L'Espace et la nouvelle,* Paris, Corti, 1976, pp. 73-84.

bouche sans lui mentir. (...) Je suis ma pire ennemie. Ma voix ment, mon corps la dément. Je parle de la famine et je dis que nous en crèverons. A présent, regardez-moi : ai-je l'air dénourrie ? » [11]. Johanna est tiraillée entre une légère complicité et une honnêteté risquant de mener au pire : « Là-haut, l'Allemagne est plus morte que la lune. Si je la ressuscite, il (Frantz) se tire une balle dans la bouche. » [12]. Optant pour la voie de la lucidité, elle tente sa chance un peu comme Jessica dans *Les Mains sales*. Toutefois, malgré une naissante connivence entre eux, son effort est voué à l'échec, grâce à l'intervention d'une Léni, emportée par la jalousie. Celle-ci provoque une confrontation des discours de Frantz, celui qu'il destine à Léni, celui qu'il destine à Johanna.

Le conflit des codes verbaux qui en résulte entraîne chez le claustré l'abandon de son espace clos d'une part, de l'autre, le renoncement définitif à sa mauvaise foi, c'est-à-dire à ses référents fantaisistes. Ces derniers ne peuvent s'employer que sous deux conditions : l'enfermement d'un locuteur rejetant radicalement le dehors, (il condamne sa fenêtre) ; la complicité de ses allocutaires. En quittant sa chambre, lieu de ses mythes personnels, Frantz descend le magnétophone, miroir de la parole du claustré. Pour le personnage, tout comme pour son discours, l'existence dépend d'un isolement à l'abri du regard implacable du Dehors. La perte du lieu signifie celle du langage-univers et donc la disparition de son créateur.

Les propos désincarnés de l'ultime scène, débités par un magnétophone ramené au rez-de-chaussée, connaissent le même sort que celui de leur créateur, dont la chute se prolonge, au-delà de cette zone, dans l'auto qui l'emmène vers la mort. Ils sont emprisonnés pour toujours dans le circuit fermé d'une bande magnétique.

11. pp. 133-135.
12. p. 137.

8

POLITIQUE DE L'ESPACE

(LA CITÉ SANS SOMMEIL)

Tout comme celle de *Huis clos* et celle des *Séquestrés d'Altona*, l'action de la dernière pièce de Jean Tardieu, *La Cité sans sommeil*, se situe dans un lieu de contrainte [1], ville-prison, à bien des égards jumelée avec l'Argos sartrien des *Mouches*. Dans *Les Séquestrés*, il s'agit d'une claustration que se choisit le protagoniste de son propre gré ; dans *Huis clos*, c'est le dramaturge qui inflige à ses personnages un enfermement dans un salon style Second Empire ; dans *La Cité sans sommeil*, enfin, nous sommes dans un univers totalitaire : un dictateur a réussi à abolir le sommeil en obligeant les citoyens à veiller en permanence, toute infraction étant sanctionnée par la peine de mort ! Si les personnages de *Huis clos* se voient contraints de se dévisager éternellement (ils ne peuvent éteindre la lumière, leurs paupières doivent rester ouvertes) de même, dans cette « fiction tragicomique » imaginée par Tardieu, située, d'après une didascalie ironique, « dans un pays imaginaire de nos jours ou dans l'avenir » [2], personne, sauf l'épouse du dictateur, n'a droit au sommeil.

Se manifestent ici, tout comme chez Sartre, deux zones antinomiques : celle de la mimésis, régime diurne : la ville monde de labeur, de travaux forcés, imposés par un gouvernement tyrannique ; celle de la diégésis, régime nocturne, royaume du rêve et de l'évasion. L'univers représenté s'apparente, coïncidence intéressante, à celui de George Orwell dans *1984* : la date de publication de cette pièce correspond à l'année du titre orwel-

1. Jean Tardieu, *Théâtre IV. La Cité sans sommeil et autres pièces*, Paris, Gallimard, 1984. Sur le théâtre antérieur de cet auteur, on consultera avec profit le beau livre de P. Vernois, *La Dramaturgie poétique de J. Tardieu*, Paris, Klincksieck, 1981.
2. P. 11.

lien !). Faut-il préciser que le régime interdit est celui du sommeil, supprimé chez tous les citoyens grâce à l'invention d'un sérum de l'insomnie.

Dans cet espace totalitaire, les lumières allumées en permanence sont signe d'activité, donc d'obéissance à un gouvernement dont la consigne est bien résumée par le dictateur (« Promoteur ») : « ...le travail, je veux dire la Fête, la Fête perpétuelle ! Pas de repos... » [3]. Au système binaire de cet éclairage (arrêt/marche) correspond le signifié : obéissance/transgression. Ainsi dès le début du premier Tableau, le Promoteur constatant que les lumières de la ville sont éteintes, craint les signes d'une éventuelle rébellion et charge son Chef du Corps de Surveillance Générale d'une enquête.

Plusieurs lois régissent cet univers : si l'obscurité y est interdite (car le travail doit être effectué en permanence) le silence l'est aussi, car le travail nécessite le bruit, le vacarme, bref toute la rumeur normale du contexte urbain. *La Cité sans sommeil* montre un conflit situé aux deux niveaux spatial et discursif. Spatial, car tout comme chez Sartre, l'univers de l'invisible s'oppose chez Tardieu à l'univers du visible. Discursif aussi, car le discours « normal » est subverti par un discours onirique caractérisant ceux qui, gagnés par le sommeil, dorment les yeux ouverts. Mais si dans *Huis clos* c'est un conflit où triomphe le visible, chez Tardieu c'est l'univers de l'invisible, royaume du rêve, qui tout en cédant la place aux êtres diurnes, va finir par prendre le dessus. Les cauchemars et les êtres qui les habitent quittent la ville, mais seulement une fois reconquis le royaume qui leur est propre : le sommeil, auquel aura de nouveau droit la population de cette ville de terreur. Le conflit se résout donc lorsque la zone nocturne est libérée...

A considérer de plus près l'organisation spatiale de *La Cité sans sommeil*, on décèle dans le texte, divisé de façon classique en cinq parties — un prologue et trois tableaux suivis d'un épilogue — une structure binaire : haut/bas. L'action du prologue et des deux premiers tableaux se déroule devant un promontoire sur lequel se trouve le palais du dictateur, dominant la Cité dans la plaine en dessous ; par contre celle du troisième tableau et de l'épilogue se passe sur une grande place au centre-ville. Ce qui donne la disposition suivante :

---

3. P. 20.

ESPACES MIMÉTIQUES			ESPACES DIÉGÉTIQUES
Prologue Tableau I Tableau II	H A U T	Promontoire Palais	Clinique du professeur Buisson
Tableau III Épilogue	B A S	Cité (La plaine) .... guérite du reporter	Hôtels clandestins

La spatialité se scinde donc en deux grandes parties : espace de la tyrannie (prologue, Tableau I et II), espace de la révolution (Tableau III et épilogue). La hiérarchie haut/bas est renversée, la tyrannie définitivement supprimée dans l'épilogue. Dans l'ensemble de la pièce, l'espace diégétique est tout à fait subordonné au mimétique ; seuls deux lieux extra-scéniques sont une fois brièvement évoqués : la clinique du professeur Buisson (inventeur du sérum de l'insomnie qu'exploite le régime) et les hôtels clandestins destinés à ceux qui cherchent à dormir en cachette. Or, la clinique est celle où le professeur dissident reçoit des soins à la suite de sa condamnation par le gouvernement. Il est fort probable que Tardieu fait ici allusion aux « hôpitaux » psychiatriques russes ou sont « traités » (incarcérés) encore de nos jours les intellectuels dissidents. Si l'allusion est discrète, elle semble tout de même explicite :

IDA

(...) Pour n'avoir plus à entendre ses reproches, ses mises en garde, ses supplications et même ses menaces ou ses prophéties...- vous l'avez envoyé en prison.

LE PROMOTEUR, *rectifiant*

Pardon, pas en prison, dans sa clinique, vous dis-je, dans sa propre clinique.

IDA

Où il dépérit, en proie, dit-on, à une dépression épouvantable.

LE PROMOTEUR, *haussant les épaules*

Je n'y peux rien... Il est soigné.

IDA

Des « soins » qui me donnent froid dans le dos, rien que d'y penser ! [4]

Il est en outre significatif que durant la première partie de la pièce (espace de la tyrannie) le seul lieu extra-scénique (diégétique) évoqué est un lieu de torture — cette clinique où est incarcéré le professeur Buisson, personnage également diégétique car il ne paraît jamais sur scène. Par contre, le lieu diégétique évoqué pendant le Tableau III (espace de la révolution) est un lieu d'évasion où se présentent les gens heureux (à condition d'être aisé) pour échapper quelques heures à l'empire du régime totalitaire :

> Bonne affaire pour les hôtels clandestins ! Il paraît qu'on paie des prix fous pour aller dormir en cachette deux heures, même une heure ! Une nuit c'est exorbitant : seuls les riches peuvent se payer ce luxe [5].

Quant à l'espace de la révolution (Tableau III et Épilogue), il se situe bel et bien comme on s'y attendrait, en dessous de l'espace de la tyrannie, car au début de la pièce, le régime tyrannique du « Promoteur » écrase le peuple, obligé de peiner nuit et jour. Pourtant, dans la plaine, plongée, au premier tableau, dans un faux calme, se prépare la rébellion. Le premier signe annonciateur : les lumières de la ville s'éteignent à l'heure où tout le monde est censé être au travail, pendant la non-nuit... Or, l'espace inférieur est une place près du centre-ville, à côté de celle où le Promoteur doit prononcer son allocution (télévisée), annonçant les nouvelles mesures répressives, notamment la peine de mort pour ceux qui se permettent de s'endormir. Sur cette place passent divers personnages subversifs, des promeneurs et le couple Mario-Paola.

Dans cet espace de la rébellion se trouve un sous-espace — la cabine en plexiglas (portative) que traîne partout et qu'utilise sans cesse le reporter de la radio : il y entre pour communiquer par téléphone ses reportages, ce qui rappelle, sur bien des plans, le

---

4. P. 46.
5. P. 64.

rôle du chœur antique chargé de commenter l'action se déroulant devant les yeux des spectateurs de jadis.

La fonction de cet espace secondaire est de séparer, voire de protéger (le terme de *guérite* est utilisé dans les didascalies [6]) le discours du reporter, qui est censé prolonger l'espace de la tyrannie, étant donné que ce journaliste travaille pour la Radio de l'État, ainsi qu'il doit le préciser au policier qui l'interpelle [7]. Peu à peu cependant, ce discours radiophonique sera subverti malgré l'abri protecteur : le journaliste qui se laisse envahir par le mouvement de rébellion se manifestant sur la place publique, empruntera le discours onirique (interdit) des dissidents qui s'endorment.

Deux discours, correspondant aux deux espaces oppositifs, se manifestent dans la pièce de Tardieu : le discours diurne (« normal ») et le discours des rêveurs. Le discours normal (celui du non-dormeur) est imposé par l'espace supérieur (zone du pouvoir) sur l'espace inférieur (zone des opprimés). Ainsi, s'il y a lutte entre deux espaces dans cette pièce, on y discerne aussi un conflit entre deux discours : mimétique (celui du régime répressif) et onirique/diégétique (celui des dormeurs), qui évoque un univers autre, invisible, douce consolation pour les malheurs de l'existence diurne subis dans l'univers totalitaire de cette Cité sans sommeil.

Le conflit entre les deux forces principales de la pièce — spatiale et discursive — se déroule sur la place du centre-ville. Là aussi se manifeste une autre forme spatiale, éminemment (et poétiquement) liée au *mouvement*, à la danse, à la musique. Il s'agit du couple Mario-Paola qui, lors de chaque apparition sur scène, définit par ses mouvements scéniques un espace de révolte : « A ce moment », selon les précisions de la régie, « on entend de nouveau les premières mesures de la musique qui accompagne, chaque fois, la venue de Mario et Paola. Aussitôt après, ils arrivent, toujours comme s'ils vivaient dans un monde à part, un monde heureux où ils sont seuls et où ils avancent avec grâce, comme des danseurs » [8]. C'est en effet comme si ces deux personnages, en faisant leur entrée sur scène, importaient leur espace poétiquement subversif, inspirant, par l'exemple d'harmonie et de beauté, un voluptueux calme à leurs concitoyens opprimés.

---

6. « Une petite guérite transparente en plexiglas montée sur des roulettes mais dénuée de porte, analogue à une cabine de téléphone public » (p. 57).

7. P. 59.

8. P. 72.

Aussi s'agit-il d'un espace scénique plus abstraitement représenté, non par l'éclairage (comme dans *Les Séquestrés d'Altona*) — mais par le mouvement, secondé par la musique. C'est là un espace *théâtral* par excellence (d'inspiration artaudienne, sans doute) qui existe, lors de la représentation, à titre autonome, c'est-à-dire, sans le support du langage ou de la référence verbale. Cette danse est néanmoins mise en valeur sémiotiquement, étant suivie d'un commentaire de l'intarissable reporter, gagné par le charme de la scène :

> « Pendant ce temps, un couple de jeunes gens s'est élancé sur la place et exécute une sorte de danse impressionnante... Ils ont l'air ravis ! Ils ont l'air, à eux seuls, de défier le monde... On dirait. .. On dirait que c'est leur danse elle-même qui a envoûté, ensorcelé les policiers, les soldats, les promeneurs, la ville entière... [9]

De telles observations, apparemment redondantes, ont en fait comme fonction d'ancrer le visuel qui, autrement, risque de paraître équivoque, un tel mouvement étant assez inattendu vu son contexte politique et conflictuel : Mario vient de prononcer sa harangue devant le peuple, et en pleine vue des policiers : « veilleurs et dormeurs, que vous veniez de ce monde-ci ou que vous sortiez des ténèbres, que vous soyez des êtres vivants ou les visions de notre épouvante, que vous soyez des bourreaux ou des victimes, craignez nos triomphes à venir ! L'amour vaincra, même dans les souterrains les plus horribles, même où il n'y a plus d'espoir ou de souvenir ! Un jour les prisons en ruine s'écrouleront dans la mer, navires naufragés ! Arrière ! Cauchemars de la terre et cauchemars du songe [10] ».

Dans *La Cité sans sommeil*, Tardieu met ainsi en valeur une forme particulière d'espace mimétique : celui qui est décrit par les danseurs, espace aussi précaire, éphémère, fragile, que la liberté qu'il symbolise : il n'est visible sur scène que pendant les fugitifs instants de la danse de Paola et Mario. Comment mieux dire visuellement la précarité de la représentation théâtrale, ou mieux formuler le pathétique d'un propos conçu pour saper le politique par le poétique ?

*
* *

9. P. 84.
10. P. 83.

Récapitulons. *La Cité sans sommeil* privilégie une spatialité *politique*. Contrairement à la claustration *comique* imaginée par Marivaux dans *L'Île des esclaves*, par exemple, et à la différence de la spatialité ludique chez un Feydeau (dans *L'Hôtel du Libre échange*), nous sommes ici dans le mode tragique, bien que celui-ci soit allégé par un savant dosage d'ironie et de poésie. La pièce de Tardieu s'apparente aux *Mouches* de Sartre : Argos est une ville-prison fermée aux étrangers, tandis que le non-Argos est une zone libre, espace diégétique parfois évoquée : ces villes « heureuses » ailleurs en Grèce, « blanches et calmes », d'après le mot du personnage sartrien, s'opposent au *noir* d'Argos, ville dont tous les lieux représentés y compris les maisons sans fenêtres extérieures — la place d'Argos, la plate-forme dans la montagne, la salle du trône, le temple d'Apollon — sont clos. La pièce de Sartre doit sa dynamique à la série de transgressions (irruptions) commises par Oreste et Electre [11]. Tout comme *Les Mouches*, *La Cité sans sommeil* se situe dans un espace totalitaire. Pourtant, en dépit d'une ambiance concentrationnaire, et d'une hiérarchie spatiale sociale et politique, l'univers cauchemardesque imaginé par J. Tardieu offre plus d'espoir : le régime du Promoteur est renversé sans violence, définitivement, même si, au départ, l'espace mimétique (et totalitaire) semble dominer en ne laissant à sa contrepartie diégétique (lieux d'évasion) qu'un rôle secondaire.

De tels lieux scéniques — de Sartre, de Tardieu, voire de Pinter (*The Room ; The Dumb Waiter*) [12] de Beckett (*Fin de partie ; Oh les beaux jours*), de Genet (*Haute surveillance*) [13], de Ionesco (*Les Chaises*) — sont surtout *statiques*, correspondant au mode tragique. Le lieu tragique du théâtre contemporain est le plus souvent unique, fixe. Si Barthes fait observer très pertinemment,

---

11. Voir mon étude, « Espaces mimétiques, espaces diégétiques : Pour une sémiotique des *Mouches* », dans Issacharoff et Vilquin (Eds.), *Sartre et la mise en signe*, Paris, Klincksieck & Lexington, French Forum, 1982, pp. 56-67.

12. Harold Pinter, *The Room*, New York, Grove Press, 1961 (1ère éd. Londres, Methuen, 1960) ; *The Dumb Waiter*, New York, Grove Press, 1961 (Londres, Methuen, 1960). Dans *The Room*, le lieu scénique est une chambre, sorte de cocon protecteur qui abrite le protagoniste instable ; dans *The Dumb Waiter*, d'une façon analogue, un lieu clos, chambre mystérieuse, protège provisoirement ses occupants Ben et Gus d'un dehors imprévisible.

13. Le décor de *Haute surveillance* est une cellule de prison ; les personnages : trois détenus dont l'un assassinera un de ses camarades. Selon l'indication de l'auteur « Nous jouons tragiquement mais nous jouons... »Paris, Gallimard, 1949, p. 10.

à propos du protagoniste racinien, qu'il est « l'enfermé, celui qui ne peut sortir sans mourir : sa limite est son privilège, la captivité, sa distinction » [14], on s'aperçoit qu'une telle observation s'applique aussi, fort souvent, aux modernes : que l'on pense à Frantz dans *Les Séquestrés d'Altona*, au Vieux et à la Vieille dans *Les Chaises* de Ionesco, à la remarque de Hamm dans *Fin de partie* (« Hors d'ici c'est la mort... ») [15] ainsi qu'au tragique dilemme de personnages se croyant à l'abri dans un espace faussement protecteur : dans *The Dumb Waiter*, dans *Haute Surveillance*, dans *Les Bonnes*, où un personnage central se tue ou est assassiné dans l'espace qui semble l'abriter...

On atteint, en quelque sorte, le plus haut degré de l'incarcération, dans l'univers dantesque imaginé par Arthur Miller dans *Incident at Vichy* (1964) [16]. L'action, dans cette pièce américaine, se déroule dans un lieu de détention à Vichy en 1942 : plusieurs personnages arrêtés par les nazis et leurs collaborateurs français y sont enfermés en attendant leur inspection par un spécialiste des questions raciales, ce qui décidera de leur envoi éventuel dans un camp de concentration. Le lieu scénique fait donc office d'antichambre de la mort. Qui plus est, cette prison s'inscrit elle-même dans un pays prison (la France occupée), le pays étant enfermé à son tour dans une Europe prison, autant de cercles concentriques de l'enfer... Comme le fait remarquer Von Berg, personnage de Miller : « Can people with respect for art [il parle des Allemands] go about hounding Jews ? Making a prison of Europe, pushing themselves forward as a race of policemen and brutes ? » [17]. Ainsi chez Miller, contrairement à ce qui se passe chez Sartre (dans *Les Séquestrés d'Altona*), ou chez Genet, l'espace diégétique vient confirmer, voire renforcer tragiquement l'espace mimétique du lieu scénique : il n'y a pas d'issue, aucune évasion n'est possible.

Enfin si le *thème* (surtout tragique) de l'enfermement domine bon nombre de pièces du théâtre contemporain, le *lieu scénique* (l'aire de jeu) est également privilégié, mise en valeur même, de façon insolite, inédite. Il est instructif, par exemple, de considérer *Les Séquestrés d'Altona* de Sartre d'après la perspective qui nous est fournie par *L'Illusion comique* de Corneille, car l'originalité

---

14. R. Barthes, *Sur Racine*, Paris, Seuil, 1964, p. 20.
15. Beckett, *Fin de partie*, Paris, Minuit, 1957, p. 23.
16. Arthur Miller, *Incident at Vichy* (1965), édition utilisée : New York, Bantam Books, 1967.
17. P. 38.

sartrienne (sur le plan dramaturgique) en ressort d'autant plus nettement. Chez Corneille la technique, inhabituelle à l'époque (bien qu'elle s'apparente à ce qu'avait déjà fait Shakespeare dans *Hamlet* et dans *Richard III*), consiste à exploiter simultanément deux lieux scéniques : la grotte du magicien (Alcandre) et l'extérieur de la même grotte. L'action se déroulant à l'extérieur (les entretiens Alcandre-Pridamant) correspondent au « présent » tandis que les scènes se déroulant dans la grotte qu'observent Pridamant et Alcandre relèvent du passé (sont censées avoir eu lieu avant le premier acte). Deux espaces distincts, deux temporalités distinctes, deux discours distincts. (C'est à peu près ce qui se passe dans *Huis clos* dans la mesure où les zones mimétique et diégétiques sont séparées, demeurant donc distinctes.)

Or, dans *Les Séquestrés d'Altona*, l'originalité du dramaturge consiste à brouiller spatialité, discours, temporalité même. Durant les scènes de diégèse mimétisée (présent et passé sont juxtaposés sur le plateau), Von Gerlach parvient à entretenir simultanément des dialogues sur deux fuseaux horaires, présent et passé. Technique assez surprenante surtout chez un dramaturge réputé indifférent à l'expérimentation dramaturgique. Chez Corneille, tout comme chez Shakespeare (dans *Richard III*, par exemple) [18], aucun contact n'est établi entre les deux aires de jeu simultanément utilisés. La technique mise en œuvre par l'auteur des *Séquestrés* s'apparente, en partie, à celle de Flaubert dans la scène des comices agricoles dans *Madame Bovary* où se manifeste précisément toute une série d'interférences entre les divers espaces représentés par le romancier : là où s'installent les paysans qui beuglent, l'estrade, lieu de l'allocution du conseiller municipal, le balcon où s'entretiennent Emma et Rodolphe. Notons toutefois que la technique flaubertienne se limite à la juxtaposition ironique d'éléments qui, grâce à une savante mise en texte, deviennent commentaires les uns sur les autres. L'originalité de Sartre, nous l'avons vu, consiste à faire jouer son personnage, dans deux zones (spatiales et temporelles) à la fois. Dispositif conçu pour que le spectateur (et le sémioticien) prennent conscience de la théâtralité de cette pièce sartrienne...

Or, si théâtralité il y a chez l'auteur des *Séquestrés d'Altona*, on la retrouve à coup sûr chez Cocteau dans son brillant *Impromptu*

---

18. Voir l'intéressante analyse de la spatialité shakespearienne in David Bevington, *Action is Eloquence*, Cambridge, Mass. & Londres, Harvard University Press, 1984, pp. 99— 134 et notamment p. 121 en ce qui concerne *Richard III* et les deux espaces (tentes) juxtaposés de Richard et Richmond.

du Palais-Royal, créé peu après la pièce sartrienne [19]. Il est évident que cet impromptu s'inscrit dans la série des impromptus des prédecesseurs de Cocteau : Molière, Giraudoux, Ionesco. Mais sa pertinence ici est la manière dont Cocteau, ayant sans doute subi une certaine influence de l'auteur du *Théâtre et son double*, supprime implicitement la traditionnelle barrière entre scène et salle en plaçant dans celle-ci une fausse « spectatrice » qui intervient, à tout bout de champ :

> ...j'assiste à ce spectacle en spectatrice et je profite d'une latitude que l'auteur nous laisse pour interrompre le jeu et faire en quelque la salle y tenir son rôle. Après tout, pourquoi pas ? [20].

Cette « spectatrice » transgresse ainsi le principe de la division spatiale : scène/salle. Dans chacune de ces zones, un comportement s'impose habituellement : silence dans la salle (à l'exception de rires, d'applaudissements, etc.) les paroles étant censées provenir exclusivement du plateau. En abolissant ce principe, le dramaturge nous fait prendre conscience de cette tradition spatiale-discursive. Une telle technique s'apparente à une technique analogue de Ionesco, dans *Les Chaises*, qui réussit à renverser les zones scène/salle en faisant entendre des bruitages normalement réservés à la salle pendant l'entr'acte.

La spectatrice transgresse, ai-je écrit : en fait c'est Cocteau qui transgresse une loi spatiale pré-artaudienne... Il s'agit chez l'auteur de *L'Impromptu du Palais Royal* tout comme chez celui des *Séquestrés*, d'une tentative d'évasion esthétique, évasion qui n'est pas censée, bien entendu, porter des conséquences tragiques... Qu'il existe un lien ultime entre discours et spatialité, nous l'avons vu à plus d'une reprise. Selon le mode tragique, la parole est alors contrainte. Sartre tente de briser les contraintes de la logique spatio-temporelle ; Cocteau, de son côté, attaque les bases de la contrainte même : au théâtre, c'est-à-dire lors de la représentation. A cela faut-il ajouter que cet *Impromptu* fournit un excellent prélude à la parole libérée : celle des discours comiques.

---

19. Jean Cocteau, *L'Impromptu du Palais-Royal*, Paris, Gallimard, 1962.
20. P. 17.

III

DISCOURS COMIQUES :
LA PAROLE LIBÉRÉE

9

LE RÉFÉRENT COMIQUE

Il s'agira dans les chapitres qui suivent de jeter les bases d'une théorie permettant de discerner la singularité d'un discours théâtral opposé aux exemples qui précèdent, celui de la comédie. Pourquoi la comédie ? Elle a été retenue surtout puisqu'elle constitue la catégorie dont le discours est « libéré » par rapport au discours contraint du théâtre non comique. Mais existe-t-il *un signe comique*, ou une sémiosis caractérisant le genre ? Tels sont les problèmes que je tente d'explorer ici.

Étudier le *genre* comique ainsi qu'on l'a fait, en privilégiant le niveau actantiel (situations ou dénouements), ne conduit qu'à des résultats schématiques, classements peu opératoires qui risquent de simplifier toute œuvre située en dehors de la norme banale [1]. C'est d'autant plus vrai dans le théâtre post-artaudien que bon nombre de nos contemporains valorisent des niveaux autres qu'actantiels : Beckett, Pinter, Tardieu, Ionesco, pour ne citer que les noms évidents. Sonder donc le théâtre comique au niveau du signe

---

1. Voir à titre d'exemple, J.M. Davis, *Farce*, Londres, Methuen, 1978, qui propose le classement suivant : univers de révolte, univers de vengeance, univers de coïncidence. L'ouvrage de M. Charney, *Comedy High and Low. An Introduction to the Experiment of Comedy*, New York, Oxford University Press, 1978, est moins schématique et le classement (de sous-genres comiques) n'occupe qu'une partie de son livre. A consulter aussi : Ch. Baudelaire, « De l'essence du rire, » in *Curiosités esthétiques, Oeuvres Complètes*, Paris, Gallimard (Bibliothèque de la Pléiade), 1961, pp. 975-993 ; Paul Goodman, « Comic Plots », in *The Structure of Literature*, Chicago & Londres, University of Chicago Press, 1954 ; Ch. Mauron, *Psychocritique du genre comique*, Paris, J. Corti, 1963 ; D.H. Monro, *The Argument of Laughter*, Victoria, Melbourne University Press & New York, Cambridge University Press, 1951 ; E. Olson, *The Theory of Comedy*, Bloomington & Londres, Indiana University Press, 1970 ; Johan Huizinga, *Homo Ludens. A Study of The Play Element in Culture*, Londres, Routledge & Kegan Paul, 1949 ; Patricia Keith Spiegel, « Early Conceptions of Humor : Varieties and Issues, » in J.H Goldstein & P. McGhee, *The Psychology of Humor*, New York & Londres, The Academic Press, 1972, pp. 3-39 [excellente mise au point des catégories des diverses théories générales du comique].

représente, si elle est viable, une approche plus microscopique, car il faudra déterminer la nature de l'énonciation ainsi que la production de signes particulières à cette catégorie du discours. Or, il me semble qu'une clef à ces problèmes complexes est le statut du *référent* et de la fonction référentielle, envisagée à partir de sa relation avec les autres composantes de la triade sémiotique.

Certains théoriciens, sémioticiens avant la lettre, ont déjà indiqué une voie féconde : sans se préoccuper spécifiquement du théâtre, Bergson, Freud et Koestler, en partant de perspectives assez différentes, ont abouti à ce même problème de la référence [2]. Le concept de l'interférence des séries chez Bergson [3], le double sens (sens apparent par opposition au sens latent) chez Freud, situé par rapport au sujet, objet et auditeur (soit, en terminologie moderne : émetteur, message, récepteur— la *bissociation* (collision de deux domaines référentiels incompatibles) chez Koestler — telles sont les dimensions du comique (pertinentes à la référence) ayant retenu trois éminents penseurs qui facilitent notre tâche, toutefois assez distincte de la leur. Le dénominateur commun à leurs théories est un système binaire : mécanique/vivant ; apparent/latent ; référent/référent. De tels couples s'inscrivent dans une belle tradition remontant aux Anciens et notamment à Cicéron (*De Oratore*) et à Quintilien (*Institutio Oratoria*) : *res/dictum* chez le premier, *res/verbum* chez le second [4].

En nous inspirant de nos prédecesseurs, il faudra pousser un peu plus loin l'analyse du référent *théâtral*. Sous la rubrique de l'espace au théâtre, nous avons considéré les diverses possibilités de la représentation mimétique : non-visible, visible, partiellement visible, visible et mentionné dans le dialogue. Cette discussion visait avant tout la question des interférences entre le discours et le perceptible. Mais le référent lui-même (ou le *contexte* jakobsonien) peut revêtir différentes formes, ainsi :

---

2. H. Bergson, *Le Rire. Essai sur la signification du comique*, [1899] Paris, Presses Universitaires de France, 10, 3ᵉ éd. 1956 ; S. Freud, *Le Mot d'esprit et ses rapports avec l'inconscient* [1905], Paris, Gallimard (« Idées »), 1976 ; A. Koestler, *The Act of Creation*, Londres, Pan Books, 1964.

3. « Une situation est toujours comique quand elle appartient en même temps à deux séries d'événements absolument indépendantes et qu'elle peut s'interpréter à la fois dans deux sens tout différents. » H. Bergson, *Le Rire* (éd. de référence : 1956), pp. 73-4.

4. Cicéron, *De Oratore*, notamment § 235-291 ; Quintilien, *Institutio Oratoria*, en particulier t. 2, Livre VI, chap. III.

extratextuel (exophorique)	abstrait
	concret
	textuel
intratextuel (endophorique)	anaphorique
	cataphorique

S'il est extratextuel (ou exophorique), il s'agit d'un renvoi à des existants (personnes, lieux, objets), actuels (au moment de l'énonciation) ou antérieurs. Sous cette même rubrique, il peut s'agir d'autres *textes* (référent intertextuel), problème déjà examiné ici, au chapitre 4. Les référents *concrets* sont l'équivalent de *descriptions définies*, pour reprendre la catégorie des philosophes à partir de B. Russell [5]. Cette rubrique est donc celle de la référence au *réel* existant en dehors de l'univers fictif, ce qui donne à un texte littéraire une caution de réalité, ou un *effet de réel*, selon l'expression de Barthes. C'est le cas chez Stoppard, par exemple, qui se plaît à brouiller la référence en juxtaposant référents extratextuels et référents intratextuels (fictifs) dans *Night and Day* [6] qui joint à une action située dans un pays africain fictif (Kambawe) des allusions aux lieux réels tels que Brighton.

En revanche, si le référent est intratextuel (ou endophorique), c'est un renvoi à ce qui se trouve à *l'intérieur du texte lui-même*,

---

5. Voir B. Russell, « On Denoting, » *Mind* 14 (1905), pp. 479-493 et, du même auteur, *An Inquiry into Meaning and Truth*, Londres, Allen & Unwin, 1940. Pour une présentation plus récente de cette problématique, voir surtout K. Donnellan, « Reference and Definite Descriptions, » *The Philosophical Review* LXXV (July 1966), pp. 281-304 et du même auteur, « Proper Names and Identifying Descriptions, » *Synthese* 21 (1970), pp. 335-358 ; « Speaker Reference, Descriptions and Anaphora, » in Peter Cole, *Syntax and Semantics*, Vol. 9 (*Pragmatics*), New York, Academic Press, 1978, pp. 47-68. Pour une mise au point précise et claire des problèmes plus généraux de la référence, on pourra consulter : Ch. Chastain, « Reference and Context, » in K. Gunderson [éd.] *Language, Mind and Knowledge*, Minneapolis, University of Minnesota Press, 1975, pp. 194-269 ainsi que J. Lyons, *Semantics* (Vol. 1), Cambridge, Cambridge University Press, 1977 notamment pp. 174-229. Pour une réfutation de la position (le plus souvent confuse) selon laquelle le texte littéraire *n'a pas de référent*, voir G. Lavis, « Le Texte littéraire, le référent, le réel, le vrai, » *Cahiers d'Analyse Textuelle* 13 (1971), pp. 8-22.
6. Tom Stoppard, *Night and Day*, Londres, Faber, 1978.

à ce qui existe donc exclusivement dans l'univers imaginé par le dramaturge. (En s'inspirant ainsi de la notion de P.F. Strawson — *story-relative reference* [7] — on évite l'écueil du critère d'existence en parlant de référents fictifs, ce qui retient B. Russell, J.L. Austin [8] et d'autres, question ontologique en fait peu pertinente à la problématique du discours littéraire.) Cette rubrique intratextuelle se scinde en deux sous-catégories, anaphorique et cataphorique, l'anaphore étant la référence à des éléments déjà mentionnés, la cataphore, inversement, à des éléments anticipés.

Quant à la triade (signifiant, signifié, référent), il faut maintenant la nuancer à la lumière des réalités concrètes de l'énonciation, celle-ci n'étant pas un processus mécanique, puisqu'il peut y avoir un décalage important entre le signifié encodé et le signifié décodé [9], et en termes de représentation, entre le signifiant de Molière et celui de Planchon, par exemple. Le signifiant lui-même est moins simple qu'il n'en a l'air ; on peut en distinguer trois niveaux : 1° le texte théâtral ; 2ᵉ le texte mis en scène ; 3ᵉ le même texte lors d'une représentation individuelle [10]. Ce qui, pour les besoins de notre propos, donne ce schéma *(voir page suivante)*.

Aucune composante de la triade n'est entièrement stable. Le signifiant (le *message* chez Jakobson) peut varier d'une représentation à l'autre ; le metteur en scène peut d'ailleurs adapter, abréger, voire transformer le texte théâtral de départ. Le référent, nous l'avons vu, présente diverses possibilités : à celles-ci il faut ajouter la façon dont on peut subtilement moderniser un texte ancien (sans avoir à changer un seul mot), à l'aide de la gestualité, du mouvement, du décor, des costumes, et parvenir à transformer radicalement le référent et le signifié à transmettre au public

---

7. P.F. Strawson, *Individuals. An Essay in Descriptive Metaphysics*, Londres, Methuen, 1959 (« The identification is within a certain story ; but not identification within history. » — éd. utilisée : 1979, p. 18).

8. Voir J.L. Austin, *How To Do Things With Words*, Cambridge, Mass., Harvard University Press, 1962 et du même auteur, *Philosophical Papers*, Oxford, Oxford University Press, 1961.

9. Cf. Catherine Kerbrat-Orecchioni, *L'Énonciation. De la subjectivité dans le langage*, Paris, Colin, 1980, pp. 11—33, qui fait une critique pertinente du schéma de Jakobson.

10. Je m'inspire ici, en l'adaptant au contexte de la représentation théâtrale, de la notion de l'énonciation d'après P.F. Strawson, qui distingue entre trois niveaux : 1° une phrase (par laquelle il faut entendre celle qui contient une description définie) ; 2° l'emploi d'une phrase ; 3ᵉ la phrase lors de son énonciation. Voir « On Referring, » *Mind* LIX (1950), repris in Strawson, *Logico-Linguistic Papers*, Londres, Methuen, 1971), p. 6.

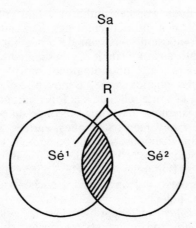

(où Sa = le signifiant à trois niveaux ; R = le référent, extratextuel ou intratextuel ; Sé = le signifié de l'encodeur ; Sé = celui du décodeur ; la zone d'intersection étant le signifié commun à tous les deux.)

dans la salle [11]. A moins qu'on ne tienne au théâtre-musée, c'est l'habitude (parfois abusive, il est vrai) de bon nombre de metteurs en scène actuels, grâce à laquelle les œuvres du patrimoine littéraire demeurent vivantes, même au point de renaître de manière imprévisible.

Pour revenir à ce qui singularise le *signe comique*, mon hypothèse de base est celle-ci : le signe du discours comique *manifeste un déséquilibre*, une démesure même, dans le cas d'au moins une

---

11. Il est indispensable de préciser, dans toute discussion portant sur la référence au théâtre, s'il s'agit du texte *lu* ou *mis en scène*, les deux réalités étant totalement distinctes sur le plan référentiel. Le texte lu contient deux niveaux, l'un fictif (le dialogue, énonciation fictive), l'autre non-fictif (les didascalies : énonciation *d'auteur* qui s'adresse au metteur en scène, aux comédiens, *à titre de personnes réelles, dans leur capacité professionnelle*). Toutefois, lors de la représentation, le niveau didascalique s'efface comme *texte*, étant incorporé, sur les plans sonore et visuel, au spectacle. Sauf indication contraire, je me situe le plus souvent dans ce volume au niveau du *texte lu*, l'accent étant mis sur la représentation virtuelle inscrite dans le texte. Pour une discussion plus approfondie du statut ontologique et énonciatif du discours théâtral, voir mon étude, « How Playscripts Refer. Some Preliminary Considerations, » in Whiteside & Issacharoff, *On Referring in Literature,* (à paraître).

de ses composantes. Par déséquilibre, il faut entendre la mise en relief d'un élément au détriment des deux autres. Comment valoriser une composante au point de déséquilibrer la triade ? Rien de plus facile, en fait. Dans le cas du signifiant, trois possibilités s'offrent au joueur : phonologique, morphologique, lexicale [12]. Sur le plan phonologique, le moyen le plus simple est la répétition qui, à la limite, élimine à la fois référent et signifié. La répétition est également une source féconde du comique *visuel*, qu'il s'agisse de mouvements scéniques, entrées, sorties, gestes, mimique ou même d'actions. Visuelle ou verbale, elle correspond au mécanique plaqué sur le vivant dont parle Bergson. Lorsque Mère Ubu frappe Bougrelas, ses gestes (réitérés) sont accompagnés de ces paroles : « Tiens, capon, cochon, félon, histrion, fripon, souillon, polochon ! » [13]. Elle utilise une série de signifiants *sémantiquement* incompatibles dont le seul trait commun est la voyelle finale. Son énumération lexicale, arbitraire, relègue au second plan les *signifiés* individuels, communique sans doute un sens global — l'invective — celle-ci étant immédiatement subvertie par le rire (habituel) des spectateurs. A part la répétition, une ressource phonologique importante est celle de la déformation (ex. « Je veux demeurer digne de mes *aïeufs* ») dont on trouvera (au chapitre 12) de nombreux exemples. Quant à la déformation morphologique, le principe est illustré par la pièce de Jarry (analysée au chapitre 11) et les noms composés conçus sur le modèle : *pistolet à phynances, sabre à merdre*, etc. La possibilité lexicale est exploitée chez Feydeau dans un télégramme : « Votre mari est décidé à se fixer à Narbonne » mal mal compris par le télégraphiste qui envoie à la place ce message à la pauvre destinataire : « Votre mari est décédé, asphyxié au carbone » [14]. Dans *La Cantatrice chauve* on relève cette réplique spirituelle : « Le pape n'a pas de soupape » [15] — double sens freudien, le signifiant apparent *soupape* cache un signifiant latent (imagi-

---

12. En ce qui concerne le fonctionnement du comique non littéraire, on pourra consulter G.B. Milner, « Homo Ridens. Toward a Semiotic Theory of Humour and Laughter, » *Semiotica* Vol. 5, N° 1 (1972), pp. 1-30. A la suite d'un résumé succinct des théories du comique depuis Platon, Milner se situe dans une perspective sémiotique en proposant une analyse du discours comique.
13. *Ubu roi* in A. Jarry, *Oeuvres Complètes, t. 1*, Paris, Gallimard (Bibliothèque de la Pléiade) 1972, p. 395.
14. G. Feydeau, *Le Ruban* in *Théâtre Complet*, t. VIII, Paris, Le Bélier, 1950, cité in H. Gidel, *Le Théâtre de G. Feydeau*, Paris, Klincksieck, 1979, p. 303-4.
15. E. Ionesco, *La Cantatrice chauve* in *Théâtre I*, Paris, Gallimard, 1954, p. 55.

naire) : *sous-pape. Le chapitre consacré à Ionesco fournit plusieurs exemples complémentaires de tels jeux lexicaux. Un signifiant ayant subi une modification ou une déformation est ainsi mis en relief, ce qui compromet automatiquement le référent et le signifié.

Quant au référent, le processus courant est celui de la collision de deux domaines incompatibles. C'est le mécanisme étudié par Koestler, qu'il désigne par le terme *bissociation* [16]. Technique souvent mise à contribution : on verra des exemples (au chapitre 13) relevés chez Ionesco (dans *Jacques* et *Le Salon de l'automobile*) où l'effet comique découle de la confusion voulue entre femme/voiture d'une part, femme/aliments, de l'autre. Une collision référentielle un peu plus sophistiquée consiste à juxtaposer deux domaines, l'un présent (dans le texte), l'autre attendu, mais qui demeure en fait absent. Dans *La Sonate et les trois messieurs ou Comment parler musique* [17], Tardieu créé par son titre l'attente d'un référent musical. Le dialogue qui suit, vidé d'une grande partie de son contenu référentiel, met en valeur le signifiant (sur le plan sonore) ; les trois personnages font allusion à un événement sans fournir de précisions spatio-temporelles, toute référence étant inopérante. Les trois personnages s'abstiennent bien sûr de la moindre allusion à la musique :

B, *confidentiel* : En tout cas nous avons su que cela se passait...là...
A, *même ton* : Que cela se passait dans une grande plaine...
C, *même ton* : N'était-ce pas...dans une grande étendue ?
A : Oui, dans une grande étendue.
B : Une grande étendue dans le soir.
A : Dans le soir.
B : Dans le soir.
A : Dans le soir, dans le soir.
B : Dans le soir, dans le soir, dans le soir.
C : Dans le soir.

---

16. Cf. sa définition : « I have coined the term « bisociation » in order to make a distinction between the routine skills of thinking on a single « plane », as it were, and the creative act, which, as I shall try to show, always operates on more than one plane. The former may be called single-minded, the latter a double-minded, transitory state of unstable equilibrium where the balance of both thought and emotion is disturbed. » A. Koestler, *The Act of Creation* Londres, Pan Books, 1964, passage cité à partir de l'édition de 1970, pp. 35-36.
17. J. Tardieu, *La Sonate et les trois messieurs ou Comment parler musique* (1952 ; création : 1955) in *Théâtre de chambre*, Paris, Gallimard, 1955.

B : Soir.
A : Soir, soir. [etc.] [18].

Le référent, vu son contexte théâtral et contexte comique en particulier, possède un statut spécial. La farce lui accorde un rôle privilégié, car l'élément mentionné dans le dialogue est souvent rendu visible. Qui plus est, un référent donné peut paraître sur scène à plusieurs reprises sans que son signifié soit obligatoirement stable. Une table, une chaise, ne se limitent pas à leurs fonctions quotidiennes : que l'on pense à la table (qui fait office d'écran) dans *Tartuffe*, aux chaises, chez Ionesco, qui figurent des personnages ! De tels objets, visualisés et verbalisés au théâtre (comique), dépassent le rôle passif de décor « réaliste ». Dans la farce, en tout cas, il s'agit le plus souvent de référents visibles ou susceptibles d'être visualisés dans une scène ultérieure. Une telle récurrence du référent tient à la nature essentiellement visuelle de la farce qui privilégie le mimétique par rapport au diégétique. On y *montre* beaucoup : on laisse la coulisse et les récits de Théramène à la tragédie classique...

Ainsi chez Feydeau, dans *L'Hôtel du libre échange* [19], l'effet comique découle de l'accumulation démesurée d'un même référent, en l'occurrence une série de malles. Mathieu se présente à l'improviste chez ses amis Pinglet, annonçant qu'il débarque pour un mois. La répétition-accumulation débute sur le plan sonore (signifiant) : Mathieu bégaye. La répétition-accumulation se répercute ensuite sur le référent : arrive un commissionnaire portant une immense malle, suivie de quatre autres malles identiques, portées elles aussi chacune par un commissionnaire. Nouvelle arrivée chez les Pinglet : quatre jeunes filles. On finit par comprendre la « surprise » de Mathieu, qui tente de se faire loger chez ses amis un mois durant, accompagné de ses quatre enfants. La technique farcesque fonctionne donc à trois niveaux : sonore (niveau du signifiant), visuel-objet (les malles) et visuel-personnage (les quatre filles). Une telle accumulation d'objets, de mouvements, de personnes, de bégaiements envahissent les Pinglet, chassent signifiant et signifié, laissant la place au référent visualisé, dominateur. Le bien-fondé de cette hypothèse est confirmé par maint exemple analogue, notamment par l'importance démesurée qu'assume l'objet central d'*Un chapeau de paille d'Italie* (voir ici chapitre 10) qui domine la pièce de Labiche au point d'en expulser

---

18. *La Sonate et les trois messieurs ou Comment parler musique*, p. 130.
19. G. Feydeau, *L'Hôtel du libre échange* in *Théâtre Complet*, t. 4, Paris, Le Bélier, 1950.

logique actantielle, personnages même. Chez Feydeau tout comme chez Labiche, le signifiant et le signifié peuvent donc être totalement dominés par le référent. Le référent s'associe à un élément constitutif du genre comique, le *quiproquo*, qui représente une erreur sur l'identité d'une personne, d'un objet, d'un lieu, ce qui produit deux sens (signifiés) qui coexistent. L'un erroné (sur la scène), l'autre exact (dans la salle). Le comique vient de la mise en contact des deux signifiés incompatibles. *Un chapeau de paille d'Italie* fournit l'exemple des trois formes du quiproquo : la Baronne de Champigny prend Fadinard pour Nisnardi ; Nonancourt passe chez Clara, se croyant à la mairie ; Beauperthuis s'empare des chaussures de Nonancourt qu'il croit les siennes. Se manifeste ainsi un double signifié dans le sens : scène → salle.

Mais le quiproquo peut se compliquer et fonctionner dans le sens : scène/scène → salle. Dans *L'Hôtel du libre échange*, Feydeau divise son plateau, au second acte, en deux et même en trois aires de jeu, ce qui représente l'équivalent visuel de la bissociation de Koestler. Il s'agit de présenter pour provoquer le rire deux (ou trois) scènes censément distinctes tout en les mettant en contact. Comme dans le cas du signifiant, où le comique consiste à mettre en regard des éléments normalement dissociés (lexicaux, phonologiques ou morphologiques), Freud étudie, dans *Le Mot d'esprit*, les situations exclusivement verbales où se juxtaposent deux sens divergents, l'un apparent, l'autre latent ou condensé. Dans notre contexte théâtral, s'il s'agit d'une « libération », elle fonctionne non seulement comme l'estimait Freud, par rapport aux tabous sexuels, mais aussi par rapport aux contraintes sémantiques ou intellectuelles. Enfin, le quiproquo est subordonné au référent, s'agissant d'un personnage, d'un objet, voire d'un lieu expressément référés dans le dialogue. Le quiproquo entraîne la mise en contact de deux signifiés incompatibles : sur la scène et dans la salle, ce qui donne comme résultat probable l'effacement relatif du signifiant, étant donné que l'attention doit être braquée sur les signifiés (et à un degré moindre sur les référents) pour se rendre compte de l'erreur du personnage scénique.

Nous avons tenté d'explorer le référent sous divers angles : ses espèces, sa représentation scénique, ses formes comiques : visualisées, réitérées visuellement, juxtaposées, démesurément dominatrice. Reste une dimension : sa mobilité. Mobilité parce que le référent a souvent un statut *dynamique*, changeant de forme à plusieurs reprises au cours d'un même spectacle. De tels changements, poussés à la limite, se transforment, bien entendu,

en accumulation comique. Une excellente illustration est fournie
par la seule farce de Sartre, *Nekrassov* [20]. Oignon référentiel, le
protagoniste exhibe, à mesure qu'on l'analyse, nombreux
niveaux. D'abord personnage diégétique, puisqu'on parle de lui
au journal, Nekrassov est un ministre soviétique provisoirement
disparu. Il est ensuite représenté (remplacé en fait) à titre mimétique : Georges de Valera, brillant imposteur, convainc tout le
monde de son identité postiche. Mais à cela il faut ajouter une
réalité extratextuelle : le poète satirique russe du XIXe siècle,
Nikolas Alexeievitch Nekrassov. Serait-ce une allusion auto-paro-
dique sartrienne, référence ludique à son propre texte satirique
qui s'intitule *Nekrassov* ? C'est fort probable, surtout compte tenu
de la remarque de Véronique : « Tu étais escroc dans l'innocence,
sans méchanceté, à moitié faisan, à moitié poète... » [21]. Mais ce
jeu de ricochets référentiels se prolonge encore : le nom « réel »
que porte l'imposteur Georges est de *Valéra*. Jeu de mots ou
nouvelle référence extratextuelle ? Dans le texte, *Valera* s'oppose
après tout à d'autres personnages ayant des noms semblables.
Faut-il lire *Valet — rat*, peut-être ? Au début de la pièce, Georges
fait remarquer : « Eh bien ! moi, moi le rat d'égout [...] » [22].
Traditionnellement, le valet, personnage fourbe, triomphe chez
Molière, chez Beaumarchais. Sartre le pousse contre des réaction-
naires bourgeois, anti-communistes fanatiques. Ce valet tente de
renverser la société. Bâtard social, apatride, partant de la berge
de la Seine, il parvient à l'appartement au George-V (au 5[e]
Tableau !) Cette hypothèse onomastique semble se confirmer
puisqu'on trouve dans la même pièce un personnage secondaire,
Bergerat, dont le nom sert à mettre en relief, par un jeu d'opposition phonologique Valera/Bergerat, la segmentation éventuelle
Valet-rat, d'autant plus que dans un Tableau, resté inédit, apparaît
un personnage épisodique qui se nomme Sajerat (sage-rat ?) [23].

Mais le jeu continue. *De Valera* a été sans doute choisi aussi
afin de faire allusion à l'homme politique Eamon de Valera,
président de la République irlandaise à l'époque de la création de
Nekrassov, allusion d'autant plus significative que ce président
avait été chef du parti révolutionnaire Sinn Fein. Aussi l'entité
référentielle Nekrassov-Valera (réelle et fictive) semble— t-elle

---

20. J.-P. Sartre, *Nekrassov*, Paris, Gallimard 1956.
21. *Nekrassov*, (éd. utilisée : 1962) p. 143.
22. *Nekrassov*, p. 18.
23. Le Tableau inédit a été publié dans M. Contat et M. Rybalka, *Les Écrits
de Sartre*, Paris, Gallimard, 1970 ; v. notamment p. 717.

résumer, à elle seule, bien des traits chers à son créateur Jean-Paul... [24].

Le comique, nous l'avons vu, est véhiculé par un discours *libéré* : des contraintes spatiales, certes, mais aussi des contraintes référentielles. Libéré référentiellement en ce sens que le réel et le fictif du théâtre comique peuvent se côtoyer, coexister même : on l'a relevé chez un Stoppard, chez un Sartre ; on le relève aussi dans la technique (habituellement) comique du quiproquo. Le visuel (le mimétique) est le plus souvent privilégié, au détriment du diégétique, relégué à l'arrière plan.

Quant au signe, la clef du discours comique est la hiérarchie des composantes de la triade, celle-ci étant fort souvent déséquilibrée sinon tronquée. Le signifiant se déforme, éclate même, de diverses manières, phonologiques, morphologiques, lexicales ; se prolifère : devient spéculaire (c'est-à-dire intertextuel) ; dès lors le signifié s'éclipse, grâce parfois à la simple répétition. Le signifié peut être subverti, sapé, notamment par le quiproquo, par la technique qui consiste à tourner en dérision les locuteurs. Dans un tel contexte, le référent occupe une place de choix. Souvent mis en valeur, visualisé, de façon démesurée, il peut expulser les autres composantes de la triade, sans parler de logique actantielle, de personnages... C'est à cela que tient en grande partie la singularité du discours comique au théâtre.

---

24. Pour une analyse de l'ensemble de la pièce, voir mon article, « Sur *Nekrassov* et le discours de la farce, » [Sartre aujourd'hui. Colloque de Cerisy, juin 1979] in *Cahiers de Sémiotique Textuelle* Nos 5-6 (1985).

10

QUAND LE RÉFÉRENT EST ROI

(UN CHAPEAU DE PAILLE D'ITALIE)

Quelques remarques, tout d'abord, sur la nature du *référent* au théâtre. Je définirai ce terme, selon son acception habituelle, comme la réalité extra-linguistique à laquelle renvoie un signe [1]. Rappelons une évidence : le référent théâtral peut être rendu perceptible sur la scène. Est-il besoin d'ajouter que c'est là un trait distinctif du théâtre par opposition à toute autre forme de communication artistique [2] ? Et cela, d'autant plus que, le plus

---

1. Cf. par exemple la définition de Dubois et al, *Dictionnaire de linguistique*, Paris, Larousse, 1973, p. 415 : « On appelle référent ce à quoi renvoie un signe linguistique dans la réalité extra-linguistique telle qu'elle est découpée par l'expérience d'un groupe humain. » Celle de Ogden & Richards, (*The Meaning of Meaning*, Londres, Trench, Trubner & K. Paul, 1923, p. 5) est plus large, s'agissant selon eux de « whatever we may be thinking of or referring to. » Voir, en ce qui concerne l'ensemble du problème de la référence : P.F. Strawson, « On Referring, » *Mind*, LIX (1950), 320-344, repris in Strawson, *Logico— Linguistic Papers*, Londres, Methuen, 1971, pp. 1-27 ; John R. Searle, *Speech Acts. An Essay in the philosophy of Language*, Londres et New York, Cambridge University Press, 1969 ; Quant à la référence dans le cas du discours littéraire, on pourra consulter Whiteside & Issacharoff, (Éds.) *On Referring in Literature* (à paraître).
2. Il s'agit bien, dans le cas du théâtre, d'une forme de *communication*, contrairement à ce qu'affirme G. Mounin dans *Introduction à la sémiologie*, Paris, Minuit, 1970 : « [...] la communication linguistique est caractérisée par le fait fondamental, constitutif de la communication même, que l'émetteur peut devenir à son tour le récepteur ; et le récepteur, émetteur. Absolument rien de tel au théâtre, où les émetteurs-acteurs restent toujours les mêmes, et les récepteurs spectateurs toujours les même aussi. » (p. 89). Quelques pages plus loin, Mounin définit ainsi le processus de communication : « [...] un émetteur (de messages) communique avec un récepteur de ces messages si celui-ci peut répondre au premier par le même canal, dans le même code (ou dans un code qui peut traduire intégralement les messages du premier code.) Il n'y a pas de communication de ce type au théâtre, si l'on exclut le code très pauvre intellectuellement des réponses ritualisées, quelquefois codées (le *bis*, etc.), qui sont les réactions de la salle en réaction au spectacle. » (p. 91-92). Cette prise de position de Mounin repose en fait sur une double hypothèse fort discutable, à savoir que la communication est

souvent, dans les domaines littéraires autres que le théâtre, le signe a comme fonction de se subsituer à un élément *absent* : « on parle des choses en leur absence plutôt qu'en leur présence » [3].

Le théâtre est sans doute la seule forme artistique où peuvent coexister simultanément, dans le temps et dans l'espace, les trois composantes du signe : signifiant, signifié, référent. Quant au référent, il peut se présenter sous trois formes possibles : il peut être visible sur scène (décor, personnages, costumes, accessoires), référé ou non dans le discours des personnages, il peut demeurer exclusivement verbal, donc extra-scénique ; il peut, enfin, apparaître de façon métonymique ou synecdochique [4]. Dans le dernier

---

exclusivement *verbale*, et nécessairement un processus tout le temps réciproque exigeant la participation *égale* de l'émetteur et du récepteur. D'autre part, le récepteur n'est absolument pas obligé de répondre toujours en utilisant le même canal verbal qu'emprunte son interlocuteur. Mounin semble oublier que dans une conversation, par exemple, il est normal de répondre parfois à un énoncé verbal par un *geste*... Cette conception de la communication est donc beaucoup trop étroite car elle exclut non seulement le théâtre mais de nombreux autres cas de communication où l'on trouve par exemple une réception *différée* (je pense à la radio et à la télévision.) Quant au théâtre, il s'agit bien d'une forme de communication, mais ce qui complique considérablement les choses c'est que l'émetteur tout comme le récepteur est *multiple*, car le premier comprend à la fois auteur, metteur en scène et acteur tandis que le second correspond à un ensemble englobant acteur(s) et spectateurs. Sur ce point, voir, p. ex. les remarques d'Anne Ubersfeld sous la rubrique « Théâtre et communication » dans son ouvrage : *Lire le théâtre*, Paris, Éditions sociales, 1977, pp. 40-46.

3. Voir T. Todorov et O. Ducrot, *Dictionnaire encyclopédique des sciences du langage*, Paris, Seuil, 1972, p. 134.

4. J'ai tenté de développer ailleurs la problématique du référent au théâtre. Voir, par exemple : « Espaces mimétiques, espaces diégétiques : pour une sémiotique des *Mouches*, in Issacharoff et Vilquin (Éds.), *Sartre et la mise en signe*, Paris, Klincksieck et Lexington, French Forum, 1982, pp. 56-67. Précisons que le référent, vu la nature particulière de la forme théâtrale, et la relation, inhérente au genre, entre le verbal et le visuel, possède un statut spécial au théâtre par opposition à celui qui se manifeste dans les autres formes artistiques. Toutefois, il est indispensable en utilisant ce concept du référent, de s'en tenir au sens linguistique propre, de ne pas perdre de vue le *sine qua non* de cet élément : pour que l'on puisse parler de *référent*, il faut qu'une *référence verbale* soit faite explicitement ou bien dans les didascalies, ou bien dans le dialogue. Ainsi, dans le cas, par exemple, où le metteur en scène utilise dans la représentation un signe non référé dans le texte théâtral, il est évident qu'il ne s'agit pas là d'un référent. Ces précisions s'imposent en raison de la confusion qui règne chez de nombreux critiques qui s'inspirent, sans les avoir bien assimilés, de concepts appartenant à la tradition anglo-saxonne de Ogden & Richards, J.L. Austin, J. Searle, P.F. Strawson. (On pourrait d'ailleurs s'étonner que l'ouvrage célèbre de Ogden & Richards, *The Meaning of Meaning*, qui remonte à 1923, attende toujours sa traduction française...) C'est dire qu'on peut souvent relever l'erreur qui consiste à confondre le signe saussurien (entité *binaire* qui *rejette* la notion de référent) et

cas, un dispositif scénique, par exemple, figure un ensemble d'éléments non perceptibles. Si, d'autre part, le référent est visible et expressément évoqué dans le dialogue, il fonctionne alors de manière *active* sur le plan dramaturgique. Voilà ce qui se passe souvent chez Beckett ou chez Ionesco, par exemple. S'il n'est pas référé dans le discours des personnages, son rôle est d'ordinaire moins significatif, car en ce cas il n'est programmé que dans les didascalies au même titre que tout autre élément rendu visible sur le plateau.

Enfin, il faut tenir compte d'une autre caractéristique inhérente à la réalité scénique : le référent au théâtre peut avoir un statut variable, mobile, plutôt que fixe, dans les limites des possibilités déjà énumérées. C'est dire qu'un référent qui se manifeste au départ sous une forme diégétique (non visuelle), peut revêtir par la suite, dans la même représentation, une forme visuelle, et vice versa, bien entendu. En outre la fonction référentielle du langage peut provoquer, pendant le déroulement d'un même spectacle, une modification du signifié appartenant à tel ou tel référent [5].

Pour illustrer le fonctionnement concret de ces concepts, j'ai retenu un texte-prétexte : il s'agit de la pièce célèbre de Labiche, *Un chapeau de paille d'Italie*. D'une façon générale, l'intérêt théorique du théâtre dit de boulevard, c'est qu'il manifeste, dans le cas de farces, de mélodrames, de vaudevilles, un certain *grossissement* d'effets, d'où une *réduction* ou une simplification sémiotique, sinon une hiérarchisation accrue des codes mis en œuvre. Cela présente, bien entendu, l'avantage, non négligeable pour le théoricien, de faciliter l'étude de la dynamique sémiotique...

Si, chez un Jarry, dans *Ubu roi*, c'est le signifiant — en l'occurrence MERDRE — qui est subverti de par sa déformation, au profit d'un univers référentiel devenu instable et insolite, chez Labiche, c'est le référent — en l'occurrence un chapeau de paille

la triade sémiotique des philosophes du langage anglo-saxons qui mettent en valeur l'importance du référent.

5. Cf. sur les rôles interchangeables du sonore et du visuel, l'article de J. Honzl, paru d'abord en tchèque en 1940 et repris en traduction française sous le titre « La Mobilité du signe théâtral, » dans *Travail Théâtral*, 4 (1971), pp. 6-20. Le même article a été également traduit en anglais : voir « The Dynamics of the Sign in the Theater, » dans L. Matejka et I. Titunik, *Semiotics of Art*, Cambridge (Massachusetts), M.I.T. Press, 1976, pp. 74-93.

— qui est subverti tout comme le monde auquel il appartient. Grâce à une série de péripéties, de quiproquos, fous mais bien orchestrés, la mise en théâtre de cet objet, générateur de l'ensemble des actions, devient absurde, onirique. Odyssée de l'absurde, l'enchaînement des scènes dépend plus de l'objet que du protagoniste, d'où le titre de la pièce. Un relevé systématique de l'ensemble des référents, objets mimétiques et diégétiques [6], dans le texte, met clairement en relief le rôle primordial prévu pour l'objet visible. Il s'agit essentiellement de deux accessoires — le chapeau et le myrte — qui prédominent en formant un couple complémentaire. J'y reviendrai.

Fadinard, jeune protagoniste de la pièce, est sur le point de se marier. Au début de la matinée précédant les noces, il passe par le bois de Vincennes. Par malheur, pendant que le cavalier est en train de chercher son fouet égaré, son cheval se met à manger un chapeau de paille accroché à un arbre et appartenant à une jeune femme, Anaïs de Beauperthuis, mariée, mais se trouvant à ce moment-là en galante compagnie. Devant la colère violente du partenaire d'Anaïs, Fadinard prend la fuite mais, nouvelle coïncidence, les amants parviennent à trouver son adresse, se présentent chez lui, s'y installent, en exigeant qu'il remplace le chapeau de paille à moitié mangé, par un chapeau neuf identique. Et cela pour effacer la preuve évidente de l'infidélité d'Anaïs auprès de son mari Beauperthuis. Les actes successifs représentent l'odyssée du protagoniste en quête du chapeau sans lequel son mariage ne peut avoir lieu.

Fadinard se présente d'abord chez une modiste (Clara) qui s'avère être une ancienne amie qu'il avait lâchement abandonnée. Mais celle-ci a déjà vendu le seul chapeau en stock semblable à celui qu'il cherche à la Baronne de Champigny. Sur quoi, Fadinard

---

6. Je précise que j'emploie ces termes au sens aristotélicien et non selon l'acception, courante chez les théoriciens du cinéma, pour qui le terme *diégétique* signifie les caractéristiques de ce qui est narré. Cf., à titre d'exemple, Jean Collet et Al., *Lectures du film*, Paris, Éditions Albatros, 1977 (sous l'article « Diégèse », pp. 74-77). Je distingue, quant à moi, entre ce qui est montré sur la scène, rendu visible, ou *mimétique*, et ce qui est purement référé, mais non visible, ou *diégétique*. Il peut s'agir de personnages, de lieux, d'objets. Une telle distinction est capitale dans le cas du genre théâtral, dont les ressorts reposent fort souvent sur l'équilibre, variable, entre ce qui est perceptible sur le plateau et ce qui ne connaît qu'une existence verbale. Cf. chapitres 6 et 7.

se présente — au 3ᵉ acte — chez la Baronne qui malheureusement vient d'offrir le chapeau en question à Mᵐᵉ de Beauperthuis. Fadinard se voit ainsi obligé de poursuivre sa quête et de se présenter, au 4ᵉ acte, chez les Beauperthuis. Or, Anaïs de Beauperthuis, à l'insu de Fadinard, c'est précisément la même personne qui se trouvait au bois de Vincennes en galante compagnie, celle dont le chapeau avait été mangé par le cheval de Fadinard. Mais la situation se règle pour le mieux à l'acte final par l'apparition d'un chapeau *ex machina* : Vézinet, oncle de la mariée, avait apporté au début de la pièce un cadeau de noces auquel personne n'avait prêté la moindre attention : un chapeau de paille identique à celui si longtemps recherché par le protagoniste. Tout rentre dans l'ordre : Anaïs, femme infidèle, de nouveau coiffée d'un chapeau de paille intact, peut effacer, aux yeux de son mari, le signe de son infidélité ; Fadinard, les obstacles supprimés, peut enfin se marier.

Au théâtre, une focalisation des codes mis en présence est chose habituelle : il s'y manifeste le plus souvent une hiérarchisation des systèmes de signes, ce qui entraîne la suppression ou la domination momentanée de tel ou tel système [7]. Or, dans *Un chapeau de paille d'Italie*, la focalisation utilisée met en relief le référent, en l'occurrence, un chapeau. Que cet objet soit l'élément générateur de l'ensemble des péripéties, des quiproquos, est évident, et la succession onirique des scènes des actes II, III et IV, chez la modiste, chez la Baronne, chez M. de Beauperthuis, représente la quête d'un protagoniste affolé. La logique actantielle est fort simple : point de mariage pour Fadinard sans obtenir le chapeau pour Anaïs. Cette situation est imposée de force : Anaïs et son amant occupent l'appartement du protagoniste en attendant qu'il trouve le chapeau qui, du coup, se transforme en principal obstacle à son mariage.

Une telle situation théâtrale se prête assez bien à une formulation logique d'après le schéma de Souriau. Rappelons qu'Étienne Souriau, sémioticien avant la lettre, a proposé jadis, dans *Les*

7. Au sujet de la focalisation et de la hiérarchie des codes au théâtre, voir chapitre 11.

200 000 situations dramatiques [8], un système à la fois rationnel et simple qui épouse fort étroitement la réalité scénique et qui établit six *fonctions* principales, communes aux innombrables possibles du théâtre : I — une Force thématique « qui oriente dynamiquement tout le microcosme théâtral » ; II — le Représentant du Bien souhaité par le protagoniste ; III — l'Obtenteur de Bien ; IV — l'Antagoniste ou l'Opposant ; V — l'Attributeur du Bien ; et enfin, VI — l'Adjuvant ou le Complice. Précisons que d'après ce système, les six fonctions ne correspondent pas obligatoirement à six personnages distincts et qu'un même personnage peut incarner simultanément ou successivement plus d'une fonction.

Or, en adoptant ce système, on obtient le schéma que voici, qui s'articule en deux propositions, ainsi :

I FT + OB → RB.   AB ←   AO AC

                  Acte I

  Fadinard Hélène Nonancourt Anaïs, Émile

II FT + AB → RB.   OB   ← AO

  Fadinard chapeau Anaïs i) Clara   Actes II,
          ii) la Baronne III, IV, V.
          iii) Beauperthuis

Dans la première proposition, Fadinard incarne deux fonctions : Force Thématique et Obtenteur du Bien ; le Représentant du Bien souhaité, c'est la fiancée Hélène, l'Attributeur du Bien, c'est le père d'Hélène, Nonancourt. L'Opposant et son Complice correspondent aux rôles tenus par Anaïs et son amant Émile. Or, la seconde proposition manifeste une modification intéressante. Fadinard représente toujours la Force Thématique mais il joint à cette fonction celle d'Attributeur du Bien, le Bien recherché étant le chapeau qui se substitue à la fiancée Hélène, et qui doit être obtenu pour Anaïs. L'Opposant correspond à la série des trois personnages : Clara, la Baronne de Champigny, M. de Beauperthuis.

Cette analyse fait ressortir deux éléments significatifs : d'un côté, la linéarité du niveau actantiel du texte dont la majeure

---

8. Paris, Flammarion, 1950. Voir aussi, en ce qui concerne le problème du niveau actantiel au théâtre, les remarques d'A. Ubersfeld dans *Lire le théâtre*, Paris, Éditions Sociales, 1977, pp. 58-118.

partie correspond à la seconde proposition, celle qui concerne la quête du fameux chapeau ; de l'autre, la transformation du Représentant du Bien, qui est d'abord Hélène, ensuite le chapeau. Une telle configuration révèle déjà des éléments inhérents à la farce : substitution grotesque, d'une part, de l'autre, accumulation démesurée et incongrue des forces d'Opposition.

Revenons maintenant au référent, à ce qui, nous venons de le voir, constitue le Bien souhaité. On s'aperçoit d'emblée que si le chapeau domine le niveau actantiel, il est aussi l'un des principaux ressorts sémiotiques de la pièce de Labiche. Il convient de rappeler ici un principe général : l'objet, dans une représentation théâtrale, devient *signe*. Étant nommé dans un *discours*, il peut acquérir sur scène des fonctions, un statut, qui lui son inhabituels dans l'existence normale. En faisant un relevé systématique des référents récurrents, on constate que deux objets reviennent sans cesse : le chapeau et le myrte. Ils connaissent tous deux une existence tantôt mimétique, tantôt diégétique. Cependant, seul le chapeau se manifeste comme référent de quatre façons : mimétique, diégétique, métonymique, synecdochique. Métonymique, tout d'abord : on voit au premier acte un *carton* du chapeau de paille, cadeau qu'apporte l'oncle d'Hélène. Le contenant figure donc le contenu. Synecdochique, aussi, car le fragment du chapeau mangé est montré sur scène plusieurs fois aux actes I, II, IV et V : la partie figure le tout. Diégétique, ce chapeau l'est aussi car on en *parle* souvent, on s'y réfère, sans qu'il soit visible. Mimétique, enfin, puisque les spectateurs, tout comme le protagoniste, finissent par *percevoir* l'objet intégralement :

FADINARD (*cherchant à arracher un carton à chapeau dont s'est emparé Nonancourt*) :
Ne touchez pas au trousseau !

NONANCOURT, *résistant* : Veux-tu lâcher, bigame ! (*Il tombe assis.*) Ah ! tout est rompu, mon gendre...
(*Le bas du carton qui contient le chapeau est resté dans ses mains, et le couvercle dans celles de Fadinard.*)

VEZINET, (*ramassant le carton.*) Prenez donc garde !... Un chapeau de paille d'Italie !...

FADINARD, *criant.* Hein ?... d'Italie ?...

VEZINET, *l'examinant.* Mon cadeau de noces... Je l'ai fait venir de Florence... pour cinq cent francs.

FADINARD, *tirant son échantillon.* De Florence !... (*Lui prenant le chapeau et le comparant à l'échantillon sous le réverbère.*) Donnez ça !... Est-il possible !... moi qui, depuis ce matin... et il était... (*Étouffant de joie.*) Mais oui... conforme !... conforme !... et des coquelicots !... (*Criant.*) Vive l'Italie ! (Acte V, p. 112) [9].

Dans cette scène capitale, le référent chapeau atteint sa présence scénique maximale, étant perceptible simultanément sous ses quatre formes synecdochique, métonymique, diégétique et, enfin, mimétique. Est-il besoin d'ajouter que cette accumulation grotesque de présences scéniques d'un même référent constitue une redondance, trait sémiotique distinctif de la farce.

Quant au myrte, il s'agit d'un objet que le futur beau-père du protagoniste traîne constamment partout, arbrisseau qui apparaît plusieurs fois à titre mimétique aux actes I, II, IV et V, et diégétique au troisième acte. Le beau-père Nonancourt est à maintes reprises en train de poser le myrte dans ce qu'il croit être la chambre nuptiale. Voici ce qu'il en dit au 4e acte, en s'adressant à Fadinard et à sa fille, déclaration subvertie de manière parodique par le dramaturge :

« Cette tendre fleur vous appartient, ô mon gendre !... Aimez-la, chérissez-la, dorlotez-la... (*A part, indigné.*) Il ne répond rien, le Savoyard !... (*A Hélène.*) Toi, ma fille... tu vois bien cet arbuste... je l'ai emporté le jour de ta naissance... qu'il soit ton emblème !... Que ses rameaux toujours verts te rappellent toujours que tu as un père... un époux... des enfants ! que ses rameaux... toujours verts... que ses rameaux... toujours verts... (*Changeant de ton, à part.*) Va te promener !... J'ai oublié le reste !... (Acte IV, p. 92) ;

Objet, donc, qui devient le signe extension de la mariée, le permis d'épouser accordé au protagoniste par le beau-père. Mais cet objet forme un tout avec le chapeau auquel il demeure subordonné, car dans la logique du texte, le myrte ne saurait entrer en service, pour ainsi dire, qu'à condition de l'obtention, par

---

9. Les références de pages renvoient à l'édition du Livre de poche, parue à Paris en 1964. Quant aux études antérieures sur Labiche, il convient de signaler qu'elles demeurent toujours, malgré le succès du dramaturge, trop rares. (Est-il besoin d'ajouter que la farce, comme toute *forme simple*, se prête admirablement à tout travail de caractère théorique.) Outre Jacqueline Autrusseau, *Labiche et son théâtre*, Paris, L'Arche, 1971, on pourra consulter la thèse, restée inédite, de E.L. Gilardeau, *Eugène Labiche. Histoire d'une synthèse comique inespérée* (Paris, 1970).

Fadinard, du chapeau promis à Anaïs. Logique onirique, mais logique tout de même.

Je reviens enfin à un concept déjà brièvement esquissé : celui de la *substitution*. C'est encore là un ressort fondamental de la farce en général, et du texte de Labiche en particulier. Les substitutions opèrent dans *Un chapeau de paille d'Italie* de multiples manières : au niveau actantiel, ainsi que nous l'avons déjà vu, la mariée, Représentant du Bien souhaité par le protagoniste, est remplacée, à partir du premier acte jusqu'au dénouement, par la quête d'un chapeau. Mais *l'objet* est lui-même remplacé momentanément par une *personne* qui en confectionne : la modiste Clara, vestige gênant du passé du célibataire Fadinard. Il avait, lui, abandonné la personne ; l'objet recherché l'oblige à la retrouver. Substitution d'objets, mais aussi substitution de personnages et de rôles : la Baronne de Champigny prend Fadinard pour un chanteur italien, Nisnardi, dont elle attend la visite. Comprenant l'erreur, Fadinard accepte de se substituer au chanteur dans l'espoir d'obtenir le chapeau. Substitution de lieux, également : au 2ᵉ acte, Nonancourt se présente chez la modiste, se croyant à la mairie. Nonancourt monte chez Beauperthuis, se croyant chez son gendre Fadinard. Substitution d'objets, aussi. Nonancourt prend les chaussures de Beauperthuis, les croyant être celles de Fadinard ; Beauperthuis prend celles de Nonancourt qu'il croit être les siennes, etc., etc. En fait, à tous ces divers niveaux, il s'agit de quiproquos, et à la réflexion, on constate que le quiproquo — élément qui *figure* autre chose — en tant que tel, représente bien entendu un procès fondamental de la sémiosis...

De ces analyses, enfin, on pourrait tirer quelques conclusions en ce qui concerne les traits sémiotiques caractérisant la farce. Tout d'abord, si, d'après Freud, la substitution [10] est une loi inhé-

---

10. Freud parle de transferts : la façon dont le rêve remplace des éléments par leur contraire : « Incidentally, reversal, or turning a thing into its opposite, is one of the means of representation most favoured by the dream-work and one which is capable of employment in the most diverse directions. » *The Interpretation of Dreams*, in *The Standard Edition of the Complete Psychological Works of Sigmund Freud*, [Trad. J. Strachey] v. 4, Londres, The Hogarth Press, 1953, p. 327. Voir aussi, en ce qui concerne le fonctionnement sémiotique des calembours, des mots

rente à l'univers du rêve, elle appartient tout autant au système sémiotique de la farce. Or, dans la farce, qui est souvent d'inspiration onirique, il s'agit habituellement de substitutions grotesques et/ou nombreuses : que l'on pense au cadavre phallique dans *Amédée ou comment s'en débarrasser* de Ionesco, métaphore matérialisée, aux chaises, chez le même dramaturge, se substituant aux personnages qu'elles figurent, aux signifiants déformés chez Jarry, remplaçant les signifiants normaux, et ainsi de suite. A cela on pourrait ajouter la mise en valeur fréquente du mimétique et l'effacement relatif du diégétique. Ainsi, la farce tout comme le mélodrame, privilégie le domaine du *visible,* met en relief les référents, objets perçus. Cette mise en valeur du mimétique, tributaire de systèmes de substitution grotesque entraîne, enfin, à partir d'un univers référentiel devenu absurde, une dislocation fondamentale de l'univers actantiel.

Il est facile de vérifier le bien-fondé de ces hypothèses en ce qui concerne les constantes sémiotiques de la farce, en se reportant à d'autres textes de Labiche et à des pièces d'autres auteurs. Je me limiterai ici à deux exemples : *L'Homme de paille* de Labiche et *Nekrassov* de Sartre. Dans *L'Homme de paille*, l'action comique repose sur un personnage d'abord diégétique et fictif nommé Cambiac, inventé par le personnage central comme homme de paille, mais qui, par la suite, se matérialise en devenant personnage mimétique, réel. De plus, il se substitue à son « inventeur » en le remplaçant, car c'est lui qui finit par épouser Mme de Lanjoie à la place de Chamvillers. Le diégétique cède ainsi la place au mimétique en raison d'une situation loufoque. D'autre part, on relève dans la même pièce une accumulation grotesque, en l'occurrence, il s'agit de prétendants et de forces d'Opposition. L'actant-prétendant se multiplie à mesure que se dévoile et que se complique la situation intégrale car il devient triple : Chamvillers, Billaudin, Cambiac. La multiplicité, grotesque, des forces d'Opposition ressemble à celle qui se manifeste dans *Un chapeau de paille d'Italie.* A un moment donné, le protagoniste Chamvillers se

---

d'esprit, l'étude de G.B. Milner, « Homo Ridens. Towards a Semiotic Theory of Humor and Laughter, » *Semiotica,* V, (i) (1972), pp. 1-30. Milner démontre comment, dans le cas de calembours et de contrepèteries, par exemple, les transformations s'effectuent sur cinq plans possibles : phonologique, morphologique, syntaxique, lexical et situationnel. Voir également les remarques, plus générales, sur le comique et son fonctionnement et sur les liens entre la logique du rire et celle des domaines de la science et de la création artistique, dans l'ouvrage fondamental de Arthur Kœstler, *The Act of Creation,* Londres, Hutchinson, 1964, en particulier, pp. 27-97.

trouve face à une triple opposition comprenant son amie dan-
seuse, Olympia, jalouse, et deux rivaux masculins, Billaudin et
Cambiac. La situation est renversée, car c'est le personnage,
d'abord fictif, ensuite réel (Cambiac), qui l'emporte [11].

Des éléments analogues se trouvent dans la seule farce qu'à
écrite Sartre, *Nekrassov*. Le protagoniste (virtuel) Nekrassov possède d'abord un rôle de personnage diégétique : c'est un ministre
soviétique provisoirement disparu dont on parle à Paris. Il est
ensuite représenté, « remplacé » sur le plan mimétique : Georges
de Valera, escroc de génie, se fait passer pour Nekrassov. L'*accumulation* se manifeste sur plusieurs plans : multiplicité de lieux
scéniques, multiplicité de personnages, multiplicité de poursuites.
Nekrassov est d'ailleurs la pièce où Sartre fait apparaître le plus
grand nombre de personnages, et où il s'abstient, contrairement
à ses habitudes, d'incarcérer son protagoniste. L'attention référentielle est donc braquée ici, tout comme chez Labiche, sur le
visible, élément privilégié grâce aux nombreux changements de
lieux scéniques et à la présence d'une foule de figurants [12].

---

11. Voir *L'Homme de paille* in Labiche, *Théâtre I*, Paris, Garnier-Flammarion,
1979, pp. 87-125.
12. Pour une analyse sémiotique de cette pièce, voir M. Issacharoff, « Sur
Nekrassov et le discours de la farce, » in *Sartre* [Colloque de Cerisy, 1979] *Cahiers
de Sémiotique Textuelle, N° 5-6* (1985).

LE SIGNIFIANT AU POUVOIR

(UBU ROI)

La focalisation et la hiérarchie des codes — tels sont les principes (on le verra ici surtout chez Jarry et chez Ionesco) régissant le fonctionnement sémiotique de maint spectacle (comique et autre). La hiérarchie se manifeste dès la relation entre les composantes du signe lui-même (les cas d'*Ubu* et de *Jacques* l'illustrent explicitement) tandis que la focalisation, tributaire de la hiérarchie, se discerne à tout niveau, mineur ou majeur, visuel ou verbal, du texte théâtral. Le théâtre est un domaine conflictuel tant sur le plan actantiel que sur le plan esthétique : nous l'avons vu, au chapitre 6, à propos notamment de l'antinomie entre le verbal et le visuel. Pourtant il ne s'agit pas tout bonnement d'une tension entre les divers possibles de la représentation. D'après certains créateurs, dont Giraudoux, par exemple, plus racinien qu'artaudien, le visuel *compromet* le spectacle et il défend le principe, rétrograde aux yeux de bon nombre de nos contemporains, d'un théâtre à dominante logocentrique : le Français, écrit-il,

> vient à la comédie pour écouter, et s'y fatigue si on l'oblige à voir. En fait, il croit à la parole et il ne croit pas au décor. Ou plutôt, il croit que les grands débats du cœur ne se règlent pas à coups de lumière et d'ombre, d'effondrements et de catastrophes, mais par la conversation. Le vrai coup de théâtre n'est pas pour lui la clameur de deux cents figurants, mais la nuance ironique, le subjonctif imparfait ou la litote qu'assume une phrase du héros ou de l'héroïne. Le combat, assassinat ou viol, que prétend représenter le théâtre russe sur la scène, est remplacé chez nous par une plaidoirie, dont les spectateurs ne sont pas témoins passifs, mais les jurés. Pour le Français, l'âme peut s'ouvrir de la façon la plus logique comme un coffre-fort, par un mot : par le mot, et il réprouve la méthode du chalumeau et de l'effraction... La compréhension du théâtre comme d'un gala humain, et non démoniaque,

ne permet donc pas que l'attention passionnée portée par lui au texte soit troublée par des interventions trop distrayantes de la régie [1].

Bien qu'*Ubu roi* soit présenté, le plus souvent, comme pièce avant-gardiste avant la lettre, il s'avère qu'à plus d'un point de vue, les remarques de Giraudoux lui sont étrangement pertinentes : on relève chez Jarry tout comme chez l'auteur de *Jacques ou la soumission*, une hiérarchie paradoxale qui valorise le verbal en lui subordonnant le visuel.

Jarry, on le sait, ne tenait ni au décor, ni à la spécificité du lieu de l'action. On se souviendra de ses observations, d'apparence ludique, mais non moins sérieuses, dans son discours prononcé lors de la première représentation d'*Ubu roi* au Théâtre de l'Oeuvre en 1896 : « Quant à l'action, qui va commencer, elle se passe en Pologne, c'est-à-dire Nulle Part [2]. » Il précise, dans la brochure-programme distribuée aux spectateurs, que « Nulle Part est partout, et le pays où l'on se trouve d'abord [3]. » A la place du décor (selon lui « hybride, ni naturel, ni artificiel »), il propose cette solution : « L'écriteau apporté selon les changements de lieu évite le rappel périodique au non-esprit par le changement des décors matériels, que l'on perçoit surtout à l'instant de leur différence. Dans ces conditions, toute partie de décor dont on aura un besoin spécial, fenêtre qu'on ouvre, porte qu'on enfonce, est un accessoire et peut être apportée comme une table ou un flambeau [4]. »

De ces considérations on peut dégager plusieurs données pertinentes à la fois à la théorie sémiotique du spectacle et à la hiérarchie se manifestant dans *Ubu roi*. Tout comme l'auteur de *Jacques*, Jarry subvertit systématiquement la triade normale : signifiant, signifié, référent ; par ailleurs, que le visuel est subordonné au verbal, devient tout de suite apparent. Le lieu de l'action, censément la Pologne, est relégué d'office à un statut

---

1. J. Giraudoux, « Le Metteur en scène, in *Littérature*, Paris, Gallimard (« Idées ») 1967, pp. 220-1.
2. « Discours d'Alfred Jarry... » in A. Jarry, *Oeuvres Complètes*, t. 1, Paris, Gallimard (Bibliothèque de la Pléiade) 1972, p. 401.
3. Le texte de cette brochure-programme fut repris dans *La Critique* du 20 décembre 1896 et réimprimé dans les *Oeuvres Complètes*, t. 1 ; phrase citée : p. 402.
4. A. Jarry, « De l'inutilité du théâtre au théâtre, » texte paru d'abord dans le *Mercure de France* de septembre 1896 ; il figure aux pp. 405-410 des *Oeuvres Complètes*, t. 1. Passage cité : p. 407.

secondaire, voire abstrait. L'emploi des écriteaux est d'autant plus significatif qu'il privilégie explicitement le *verbal* par rapport au visuel. Parallèlement, la technique qui consiste à déformer les signifiants confère à l'action véhiculée par un tel code verbal, ainsi qu'au référent, un statut radicalement transformé sinon atténué.

Le premier mot du texte, sans doute la réplique la plus célèbre du théâtre français, correspond à un signifiant déformé par l'ajout d'une consonne surnuméraire, vocable ubiquiste et ubuesque lâché dès le lever du rideau : MERDRE ! Nombreux sont les commentaires, les gloses savantes dont ce signifiant a fait l'objet, argotique selon les uns, ludique selon les autres, moins inconvenant, selon un esprit curieux [5]... Pourtant, il semble évident qu'un signifiant, de par sa déformation, attire davantage l'attention sur un vocable auquel il confère, par là-même, une importance phonétique et sémantique accrue. Les annonceurs exploitent ce même principe de déformation lexicale pour les besoins plus utilitaires de la publicité. Ainsi notre signifiant, augmenté par l'addition d'une consonne, acquiert une syllabe supplémentaire, étend le domaine de son signifié habituel, pénètre dans le champ sémantique de la haute « phynance », d'où l'intérêt des variantes lexicales : *sabre à merdre, sabre à phynance*. Le [r] surajouté serait-il également l'anti-signe du *r*oi Ubu ?

Un relevé systématique de toutes les occurrences de Merdre — 33 en tout — permet de déceler une triple association : Merdre—Phynance-Physique, en d'autres termes, fèces-finance-pénis. Ce relevé montre aussi que la Merdre, anti-signe par excellence, est la clef du système sémiotique principal de la pièce de Jarry. J'y reviendrai.

En passant d'un fondamental phonème à des éléments plus complexes du signifiant, on constate la présence de nombreux néologismes. Or, abstraction faite de quelques termes relatifs au corps (*gidouille, oneille*...), ces néologismes se limitent à l'idiolecte du protagoniste, qui s'en sert le plus souvent pour parler de telle ou telle action *concrète*. Ainsi, *Merdre* est le signal qui déclenche l'assassinat du roi Venceslas ; de même, c'est à l'aide

---

5. Consulter, à titre d'exemple : A. Carey Taylor, « Le Vocabulaire d'Alfred Jarry, » *Cahiers de l'Association Internationale des Études Françaises* 10 (1959), pp. 307-322 ; M. Arrivé, *Les Langages de Jarry*, Paris, Klincksieck, 1972 et du même auteur, les remarques dans les *Oeuvres Complètes*, t. 1, p. 1155 ; J.M. Lipski, « Jarry's Ubu : A Study in Multiple Association, » *Zeitschrift für französische Sprache und Literatur* 85 : 1 (1975), pp. 39-51.

d'un autre néologisme — le *crochet à nobles* — qu'Ubu massacre
les aristocrates, d'où le lien implicite entre néologie et action
violente, la première en quelque sorte subvertissant la seconde.
Cette hypothèse trouve sa confirmation dans l'idiolecte du protagoniste qui associe explicitement un autre néologisme à l'idée de
la mort violente (*tuder*) : « Décervelez, tudez, coupez les oneilles,
arrachez la finance et buvez jusqu'à la mort, c'eſt la vie des
Salopins, c'est le bonheur du Maître des Finances [6] » Surtout
significatif est le relevé complet de l'ensemble du lexique, dans le
parler d'Ubu, correspondant aux *armes* : crochet à nobles, couteau à nobles, ciseau à oneilles, ciseau à merdre, croc à finances,
croc à merdre, sabre à merdre, pistolet à phynances, bâton à
physique. A ces lexèmes, un dénominateur commun : il s'agit de
néologismes tous conformes au même patron, noms composés
dont les éléments sont joints par la préposition *à*. Ce sont, d'autre
part, sans exception, des référents, mentionnés dans le dialogue,
visibles sur scène. Que la série constitue un *système* sémiotique
devient clair lorsqu'on s'aperçoit que l'ensemble s'oppose aux
termes appartenant au même champ sémantique, utilisés par les
personnages autres que le protagoniste. Voici la liste complète :
épée (celle de Bougrelas) ; épée (celle que reçoit Bougrelas de
son Ancêtre) ; épée (celle de Bordure) ; fusil ; pierre ; révolver ;
couteau. L'opposition est rendue explicite par une tirade d'Ubu
qui s'adresse en ces termes à ses troupes : « J'ai à vous recomman-
der de mettre dans les fusils autant de balles qu'ils en pourront
tenir [...] Quant à nous, nous nous tiendrons dans le moulin à
vent et tirerons avec le pistolet à phynances par la fenêtre, en
travers de la porte nous placerons le bâton à physique, et si
quelqu'un essaie d'entrer gare au croc à merdre ! [7] ». Le protagoniste distingue donc expressément entre les armes de ses hommes
et celles dont il compte faire usage lui-même.

Ce système oppositif appelle d'autres remarques. Tout d'abord
il va sans dire que chaque néologisme comporte un signe et un
anti-signe. En d'autres termes, le second élément d'un nom composé du type : *sabre à merdre* subvertit sémantiquement l'ensemble du lexème néologique. Selon la norme, dans le cas de noms
composés tels que *verre à vin*, le second substantif modifie le
premier, en précisant son sens et sa fonction. Un *verre à vin*
signifie donc le type de verre à utiliser pour le vin, tandis que le

---

6. *Ubu roi* in *Oeuvres Complètes*, t. 1, p. 389.
7. Id., p. 381-2.

deuxième substantif se conforme au principe qu'on observe dans les noms composés selon le modèle : *brosse à chaussures, brosse à dents, brosse à cheveux ; boîte à bijoux, boîte aux lettres, boîte aux gants*, et ainsi de suite. C'est là l'usage normal. En revanche, dans l'idiolecte du père Ubu, les noms composés néologiques servent à perturber la transmission du sens et de la référence. Le nom surnuméraire ajouté par Ubu oblitère le sens, tout comme l'épenthèse de *merdre* ajoute à ce vocable une dimension sémantique particulière. Dans les cas plus complexes, le lexème possède une variante, d'où les paires suivantes : *ciseau à oneilles, ciseau à merdre ; croc à finances, croc à merdre*. De tels lexèmes deviennent donc signes de signes, se reflétant à l'infini, puisque dans chaque cas, le second élément contient une référence à un nouveau signifiant qui possède, à son tour, signifié, référent et connotation, particuliers à cet univers du discours. En poussant un peu plus loin l'analyse, on s'aperçoit que le texte de Jarry incarne une focalisation, hiérachie lexicale, en somme, dans la mesure où bon nombre de lexèmes s'intègrent à un réseau que dominent deux hyper-lexèmes, finance et merdre. Au lien implicite entre les deux termes on pourrait sans doute attribuer, avec M. Arrivé, une nouvelle connotation issue de la juxtaposition : « une substance analogue à la merdre » [8]. Une telle glose se justifie sans doute dans le contexte, mais il faut se rappeler que la *finance* chez Jarry correspond à plusieurs signifiés habituellement distincts, souvent incompatibles. Des considérations précédentes, en tout cas, il s'ensuit que le signifié et le référent sont effacés, sinon gommés intégralement, par un signifié connoté. Aussi dans *Ubu roi* la dénotation cède-t-elle la place à la connotation, voire à des connotations particulières. Le signe est souvent signe d'un autre signe, au lieu de s'intégrer, selon les normes de la communication, à une triade sémiotique.

Le processus qu'on discerne dans le lexique se réitère dans *l'action* de la pièce de Jarry. Celle-ci est subvertie dans la mesure où elle est tributaire d'un univers référentiel anormal, imprévisible. Le *signifiant* régit le système linguistique de cet étrange univers. Ce n'est pas par hasard que le signifiant *merdre* occupe la première place du texte, qu'il provoque la première action concrète, l'assassinat du roi. Les signifiants néologiques gouvernent le monde violent du protagoniste, lui-même nommé par la réitération ludique d'une même voyelle : *Ubu*. Le signifié est donc

---

8. M. Arrivé, *Les Langages de Jarry, Paris, Klincksieck*, 1972, p. 252.

souvent subordonné, s'il n'est point oblitéré lors de l'invective ubuesque : « Tiens ! Polognard, soûlard, bâtard, hussard, tartare, calard, cafard, mouchard, savoyard, communard ! » [9]. Arbitraire ou hallucinant, le signifiant bloque ainsi la transmission du sens.

Dans l'univers spéculaire d'*Ubu* se manifeste un système à deux volets que domine le couple *merdre/finance*, l'un étant la variante de l'autre. Si la merdre possède le don d'ubiquité sémiotique ou sémantique, c'est également la source principale d'action violente. Et si la philologie mène au crime, selon le mot de Ionesco, la merdre mène au massacre, puisqu'elle peut *tuder*. Signal qui provoque un assassinat, c'est aussi la substance véhiculée par le balai innommable. On se souviendra que, pendant le banquet, Ubu en apporte sur scène, avec le résultat suivant :

> *(Père Ubu tient un balai innommable à la main et le lance sur le festin.)*

> MÈRE UBU

> Misérable, que fais-tu ?

> PÈRE UBU

> Goûtez un peu. *(Plusieurs goûtent et tombent empoisonnés.)* [10].

Le balai est bien entendu le sceptre du Maître des Finances, sceptre du roi, aussi, signe (ou référent ?) de son statut royal. Si ce balai est l'emblème référentiel du roi Ubu, sa chandelle verte devient dès lors sa variante. Qui plus est, la trappe par laquelle Ubu chasse les nobles, connote sans doute un lieu d'aisances puisqu'il les évacue dans sa capacité de Maître des Finances.

Dans *Jacques ou la soumission*, (on le verra), tout est *chat*, en d'autres termes, la communication est vouée à un échec total. La réalité, pour Jacques et Roberte, devient informe, chaque objet ayant perdu son individualité et donc son identité. Dans *Ubu roi*, de même, la merdre constitue le signe de l'assassinat et l'assassinat du signe.

9. *Ubu roi*, *Oeuvres Complètes*, t. 1, p. 395.
10. *Ubu roi*, *O.C.*, t. 1, pp. 356-7.

12

L'ASSASSINAT DU SIGNE

(JACQUES OU LA SOUMISSION)

En admettant qu'un spectacle incarne plusieurs systèmes de signes fonctionnant simultanément, véritable « polyphonie informationnelle » d'après le mot de Barthes, ce n'est tout de même pas une tour de Babel sémiotique. Il s'y manifeste, à n'importe quel moment, une *focalisation* orientant la perception du spectateur qui, autrement, risque d'être perplexe. Tout comme dans les autres univers artistiques, on focalise le regard : dans le domaine pictural, grâce au trompe-l'œil, à la lumière, à la disposition des couleurs (sans parler du *titre* du tableau) ; dans le roman, grâce au point de vue (devenu, depuis Genette, focalisation), en photographie, grâce à la focalisation différentielle. Au théâtre le même résultat s'obtient par l'équilibre variable des systèmes sémiotiques exploités, par la suppression, voire par la domination (momentanée ou intégrale) de tel ou tel système.

Afin d'explorer ces principes, je retiens une pièce de Ionesco, connue de tous — *Jacques ou la soumission* [1] — l'objet secondaire étant de mettre en relief certains traits sémiotiques caractérisant la comédie. Ce texte s'articule en quatre temps, ainsi : I la révolte de Jacques ; II la tentative de réconciliation, amorcée par Jacqueline ; III l'arrivée de la fiancée, Roberte I et II ; IV la séduction de Jacques par Roberte II. La hiérarchie sémiotique se manifeste d'emblée : le régime visuel est subordonné au régime *verbal*.

---

1. *Jacques ou la soumission* in E. Ionesco, *Théâtre I*, Paris, Gallimard, 1954.

Une telle hypothèse se confirme par la manière dont fonctionne, dans la pièce, la triade signifiant/signifié/référent. Commençons par le signifiant. Que ce dernier subit, aux mains du dramaturge, une déformation systématique d'après les modèles suivants : *vilenain ; mononstre ; je t'exerte ; aristocraves, doudre*, etc, rien de plus évident. Il ne s'agit ni de néologismes au sens propre, ni de mots-valises, exprimant une réalité nouvelle, mais de déformations d'un lexique déjà existant, et donc d'une subversion de la transmission normale du sens et de la référence. Déformer un signifiant entraîne, bien entendu, la dislocation de la relation signifiant/signifié, attire davantage l'attention sur le vocable déformé. Ainsi, quand on entend un Jacques père, fâché par le comportement non-conformiste de son fils, s'exclamer : « Je veux demeurer digne de mes *aïeufs* » [2], il s'agit d'un énoncé dont l'importance est centrée sur le côté palpable des signes. C'est là un exemple proche de la fonction poétique du langage, ainsi définie par Jakobson : « La fonction poétique projette le principe d'équivalence de l'axe de la sélection sur l'axe de la combinaison [3]. » La fonction référentielle de tels messages est donc quasiment gommée : l'auditeur a tendance, en ces cas, à faire abstraction du signifié, à se concentrer davantage sur la *forme comique* du signifiant déformé. Quand Jacques mère dit à son fils « Tu es un *mononstre* ! » [4], le public trouve sans doute plus grotesque et monstrueux le signifiant à ce moment-là que le référent-personnage.

Un principe analogue régit le fonctionnement de la seconde catégorie de jeux lexicaux : celle des combinaisons contradictoires du type : *une seconde fille unique ; je suis complètement et à moitié désespéré*. En ces cas, ce n'est pas le signifiant qui est atteint, comme dans la première catégorie, mais le signifié lui-même, ce qui entraîne la destruction intégrale de la référence. Tout est centré sur la combinaison elle-même — source évidente du comique — le signifié étant tout simplement effacé.

L'analyse de la relation signifiant/signifié, dans les trois premières scènes où se manifeste une dislocation, montre une opposition explicite entre l'idiolecte du protagoniste et celui des autres personnages. La déformation du signifiant et l'oblitération du signifié se manifestent exclusivement dans le parler des personnages

---

2. P. 100.
3. R. Jakobson, *Essais de linguistique générale I*, Paris, Minuit, 1963, p. 220.
4. *Jacques ou la soumission*, p. 98 ; c'est moi qui souligne.

autres que Jacques, ce qui singularise, sur les plans sémiotique et dramatique, le personnage principal. Cette distinction est rendue manifeste grâce à la redondance du même message transmis simultanément par plusieurs codes : la position assise du protagoniste par rapport à celle de ses parents (restés debout pendant la première scène) ; le mutisme du protagoniste, pendant la même scène, par opposition au comportement verbal de sa famille ; l'absence de masque chez le protagoniste, le port de masques chez les autres. Aussi, dans les scènes précédant celle de la séduction de Jacques, le visuel double-t-il le verbal et souligne, de façon théâtrale, ce que réitèrent, à plusieurs reprises, les allusions de ses parents : la révolte du protagoniste.

Toutefois, si le protagoniste s'abstient de se servir lui-même de signifiants déformés ou de combinaisons lexicales absurdes, il se laisse progressivement manipuler par le langage de sa famille, premier indice de son imminente soumission. Il suffit d'une seule formule pour provoquer chez Jacques une modification initiale de son comportement : « chronométrable ». A la suite de cette révélation de son destin, il est contraint d'admettre qu'il adore « les pommes de terre au lard. » Cet aveu lui permet, comme le lui fait remarquer son père, d'être réintégré, du moins provisoirement, à sa famille et au « lardement ». Ainsi s'établit un rapport explicite entre action concrète et formules absurdes [5], ces dernières étant les signes de l'éthique conformiste et stéréotypée de la famille Jacques. Le langage continue de cette manière sa régie sémiotique, à laquelle sont subordonnés les autres codes : c'est lui qui demeure la force motrice de la pièce, couronnant la hiérarchie sémiotique.

Quant au référent et à son fonctionnement dans *Jacques*, un relevé systématique montre que les référents (scéniques) se limitent essentiellement à deux rubriques : personnages et leurs corps, animaux. En revanche, le décor, les objets (— d'après les indications scéniques [6], il est censé y avoir un tableau ne représentant rien, des choses indéfinies, à la fois étranges et banales, comme de vieilles pantoufles, etc. —) n'étant pas référés dans le dialogue,

---

5. Cf. le rapport entre *néologie* et *action violente* dans *Ubu roi* (voir chapitre 11).
6. *Jacques ou la soumission*, p. 97.

ne *fonctionnent* pas activement, ne possèdent donc pas de rôle dramatique significatif. Cette atténuation du visuel entraîne automatiquement une mise en valeur du verbal. Le texte de la pièce programme ainsi une mise en scène qui devrait éviter d'attirer l'attention sur le décor en permettant plutôt de se concentrer, du moins pendant les trois premières scènes, sur la dimension verbale qui, à l'image du tableau, n'est censée représenter rien.

Pendant les deux premières scènes (révolte de Jacques ; tentative de réconciliation par Jacqueline) les référents du type : « Voilà ta grand-mère, elle est octogénique » ; « Voilà ton grand-père, il est centagenaire » — se bornent exclusivement aux personnages. De tels référents n'ont qu'un rôle démonstratif ou indiciel, conforme au rôle habituel du langage durant l'exposition d'une pièce. En revanche, à partir de la troisième scène — celle de l'arrivée des Robert — le signifiant s'anime, et le référent qui surgit est à l'image du signifiant à syllabes superflues : on voit apparaître la fiancée à deux nez. Mais cette pauvre créature subira, à la suite des références de son père, une transformation alimentaire l'assimilant aux comestibles :

> « Elle a des pieds ! Ils sont truffés (...) une langue à la sauce tomate ; des épaules pannées, et tous les biftecks nécessaires à la meilleure considération. Que vous faut-il encore ? » [7].

Ces références à Roberte, alimentaires et bovines, servent de charnière thématique, car elles appelleront celles qui concernent les animaux, référés et représentés, dans la dernière scène de la pièce. Ces animaux sont de deux espèces : diégétiques et mimétiques. Diégétiques, ces cochons d'Inde, juments, chevaux, poulains, chienne et chiots, car ceux-là à une exception près, ne connaissent qu'une existence scénique *verbale*. L'exception, c'est le cheval, d'abord diégétique, qui se fera mimétique par la suite. Au début de la scène finale, l'accent est mis sur une dimension théâtrale diégétique : il s'agit des rêves et des anecdotes de Jacques et de Roberte. Mais la scène se fera progressivement plus mimétique, car le référent *cheval*, d'abord purement verbal et donc non visible, sera matérialisé. Jacques, assisté de Roberte pour les bruitages, incarnera l'animal, fera le tour de la scène au galop.

Ainsi, le signifiant, ayant d'abord maîtrisé le protagoniste révolté, finit par le transformer radicalement. La séduction de

---

7. P. 109.

Jacques, déjà bien amorcée par le langage contraignant et par la présence influente de la fiancée à nez multiples, sera consommée dans cette scène par l'accouplement des deux partenaires. Désormais, Jacques acceptera d'être chronométrable !

La dernière partie de cette ultime scène sera placée sous l'emblème d'un second animal, doté, celui-ci, d'un réseau sémiotique complexe : il s'agit du chat. Alors que dans la première moitié de la scène, la mimésis (chevaline en l'occurrence) remplace la diégésis, le visuel momentanément dominant le verbal, le verbal finit par reprendre le dessus, et le chat en question ne connaîtra qu'une existence scénique verbale. Mais ce chat verbal est plus compliqué qu'il n'en a l'air... Précisons tout d'abord que le signifié en ce cas ce n'est pas du tout l'animal lui-même, ainsi qu'on pourrait s'y attendre — celui-ci est en fait gommé — mais le *signifiant* qui, à la suite de chaque stimulus prononcé par Jacques, s'intègre à un autre signifiant. Une lecture attentive de cette petite scène révèle la présence de deux systèmes sémantiques complémentaires. Il s'agit soit de signifiants indivisibles correspondant au stimulus, exemple :

> Jacques : Il donne des coups de pattes, mais il sait travailler la terre.
> Roberte : C'est une charrue [8] !

En ce cas, le signifié « chat » disparaît ; ou bien, selon Jacques, il faut assimiler la catégorie « charrue » à celle des chats ; en ce cas le signifié habituel de charrue est effacé. Soit, et c'est là l'autre système, on décèle un jeu de mots, comme dans cet exemple :

> Jacques : Il peut aussi flotter sur l'onde (...) Tout doucement.
> Roberte : C'est un chaland [9].

Soit encore cet exemple :

> Jacques : Il aime parfois vivre caché dans la montagne. Il n'est pas beau.
> Roberte : C'est un chalet [10].

Dans ces cas, le jeu lexical est parfait, car *chaland* correspond littéralement au stimulus : ce qui flotte tout doucement sur l'eau.

---

8. P. 125.
9. Id.
10. P. 125.

Cependant, *chaland* peut se scinder aussi en deux signifiants, ainsi : *chat — lent*. De même, un lieu d'habitation qui se trouve dans la montagne peut être effectivement, au sens propre, un *chalet*, mais on peut comprendre aussi, par un jeu de mots, puisque le stimulus comprend la précision « il n'est pas beau », que c'est là un *chat laid*. Le même type de jeu lexical se retrouve dans d'autres répliques de cette scène :

> Jacques : Il me fait rire.
> Roberte : C'est un [...] chapitre [11]. [C'est-à-dire : chat pitre]

Ainsi, dans ce nouveau langage conformiste de Jacques et de Roberte, tous les signifiants, qu'il s'agisse de château, chameau, charrue, chagrin, chabot, chaloupe, chaland, chalet, chapitre, etc. sont des espèces de chats. Tout référent est assimilé au super-signifiant *chat*, et ce langage détruit donc l'ensemble des référents et des signifiés, ceux-ci ayant perdu leur individualité et par là-même, leur sens.

Nous avons déjà vu que dans cette dernière scène, les référents sont exclusivement personnages ou animaux. Au fur et à mesure que se déroule la scène, ces deux éléments se confondent : les personnages perdent leur spécificité humaine et deviennent animaux. Les signifiants de leur côté, connaîtront un sort semblable : en perdant d'abord leur individualité, ils perdront tous leur signifié en s'assimilant au méga-vocable, *chat*. La première scène de *Jacques* montre la déformation progressive du signifiant ; la dernière complètera le processus par la destruction intégrale et du référent et du signifié.

Il ne serait peut-être pas trop imprudent, à la lumière de ces analyses, de tirer certaines conclusions sur les traits sémiotiques caractérisant la comédie.

La déformation du signifiant, tout d'abord, se manifeste fort couramment dans le théâtre comique : Les « merdre » de Jarry, les « sans dot » de Molière sont parmi les exemples les plus évidents. Ce type de déformation lexicale entraîne logiquement le second élément, relevé chez Ionesco : la perte ou la destruction

---

11. P. 125.

totale de la référence. Le transfert de la référence de son domaine habituel à un domaine grotesque, ainsi que la dissonance entre les codes (entre le code verbal et celui des actions, par exemple) — tels sont les autres ressorts sémiotiques auxquels ont souvent recours les auteurs du théâtre comique.

Enfin, faut-il ajouter que la fonction référentielle du langage est donc relativement étrangère à la comédie, car le comique découle précisément de déformation, de parodie, de l'univers du langage-objet, du discours mis en spectacle.

13

LE DISCOURS
DU SPECTACLE NOUVEAU

On associe depuis plus de trente ans les noms de Ionesco, Beckett, Tardieu, Genet, Pirandello, entre autres, au théâtre expérimental. Qu'on nomme celui-ci expérimental ou avant gardiste, on pourrait s'en tenir à la définition qu'on relève dans le *Dictionnaire du théâtre* de P. Pavis « [...] la recherche de formes d'expressions nouvelles, un travail sur l'acteur, une mise en question de toutes les composantes de l'acte théâtral [1] » *Le Petit Robert*, quant à lui, insiste à juste titre sur la *provocation* : ... « qui joue ou prétend jouer un rôle de précurseur, *par ses audaces* [2] ». C'est donc à la fois la notion de « recherche », celle de la mise en question (contestataire) ainsi que l'idée d'« audaces » que je retiendrai, surtout quand on pense à l'audace qui consiste à ne pas faire paraître sur scène un personnage nommé dans le titre d'une pièce (chez Beckett, chez Ionesco), à l'audace qui consiste à supprimer quasiment tous les personnages, remplacés par une bouche éclairée (chez Beckett), à supprimer le dialogue même (chez Beckett), le mouvement (chez Beckett), les signifiants conventionnels (chez Tardieu, chez Stoppard), le costume (dans *Oh Calcutta !*), à modifier radicalement le statut de l'action, transformée en mouvement frénétique (chez Ionesco), à supprimer même le décor (chez Beckett, chez Tardieu)...

Le texte théâtral expérimental pourrait se caractériser de maintes façons, mais celles-ci correspondent le plus souvent à deux modes essentiels que je nommerai *suppression* (de tel ou tel élément dramaturgique) et *juxtaposition* (la mise en présence d'éléments incompatibles sur les plans verbal ou visuel). Le théâtre de Beckett fournit maint exemple du mode négatif de la suppression ;

1. P. Pavis, *Dictionnaire du théâtre*, Paris, Éditions sociales, 1980.
2. C'est moi qui souligne.

il ne s'agira pas ici d'un développement à ce sujet, facile d'ailleurs à deviner : je me propose d'explorer surtout l'autre mode (positif), la mise en présence de systèmes incompatibles sur les plans sémantique, référentiel ou dramaturgique.

Or, un texte, fort bref, connu de tous, fournit un exemple, à la fois concis et clair, du mode de mixage ou de brouillage référentiel : il s'agit du « poème » de Marie dans *La Cantatrice chauve* :

> Mary : Je vais vous réciter un poème, alors, c'est entendu ? C'est un poème qui s'intitule « Le Feu » en l'honneur du Capitaine.

LE FEU

Les polycandres brillaient dans les bois
  Une pierre prit feu
  Le château prit feu
  La forêt prit feu
  Prit feu, prit feu
  Les hommes prirent feu
  Les femmes prirent feu
  Les oiseaux prirent feu
  Les poissons prirent feu
  L'eau prit feu
  Le ciel prit feu
  La cendre prit feu
  La fumée prit feu
  Le feu prit feu
  Tout prit feu
Elle dit le poème poussée par les Smith hors de la pièce [3].

Commençons par le néologisme curieux : *polycandres*. En faisant abstraction de la déformation lexicale, son étymologie est évidente : plusieurs + hommes, ce qui signifie une femme ayant plusieurs maris ou une plante ayant plusieurs étamines. Le microcontexte du poème (celui du premier vers) : « Les polycandres brillaient dans les bois » privilégie le sens botanique, mais de prime abord on voit difficilement le lien entre la plante en question et la suite du poème. Et pourquoi la déformation lexicale ? L'ajout de l'épenthèse (le phonème surnuméraire [k]) est sans doute censé

---

3. *La Cantatrice chauve* in E. Ionesco, *Théâtre I*, Paris, Gallimard, 1954, p. 50. Le [k] est mis en relief de deux façons : 1e le poème ne contient, en dehors du néologisme, aucun [k] ; 2e puisqu'il n'existe aucun mot *candre (ni en français, ni en grec) qui expliquerait le néologisme, on est en droit de présumer que l'objet est du moins en partie d'attirer l'attention sur le vocable et donc sur le phonème individuel.

d'une part faire obstacle à la référence normale : femme polygame ou, dans notre contexte, plante à plusieurs étamines, et, de l'autre, tout comme dans le cas de la « merdre » de Jarry, attirer davantage notre attention sur le vocable déformé et donc exceptionnel. C'est tout d'abord une marque de spécularité, à titre d'une référence (narcissique) intratextuelle, résumant le processus néologique qui caractérise le discours théâtral des toutes dernières scènes de *La Cantatrice*. Microcosme du poème dans son ensemble, le signifiant *polycandre* possède plusieurs fonctions parallèles : s'il bloque (partiellement) la référence normale, il souligne par làmême son propre caractère polysémique. Or, la polysémie est la caractéristique essentielle du poème dont l'énoncé *prit feu* constitue le noyau. Les « étamines » nombreuses du polyandre implicite réfèrent bien entendu aux sens multiples de l'énoncé *prit feu*, car il coexiste dans le poème *six* emplois distincts de la même expression : un emploi littéral (le château prit feu ; la forêt prit feu) ; un emploi métaphorique (1) (une pierre prit feu ; l'eau prit feu ; le ciel prit feu) ; un emploi métaphorique (2) (les hommes prirent feu ; les femmes prirent feu) ; un emploi « absurde » ou oxymorique (l'eau prit feu ; la fumée prit feu) ; un emploi pseudologique : « tout prit feu » qui présuppose un antécédent de « tout » ayant des éléments compatibles (ce qui est impossible) ; et, enfin, un emploi métalinguistique correspondant à une conclusion sémantique : « prit feu, prit feu » — c'est-à-dire que le signifiant lui-même se détruit par le feu. Ainsi ce poème ou antipoème manifeste une juxtaposition d'incongruïtés sémantiques, subvertit par là-même le principe de convention ou de règle sémantique stable.

Pour revenir au phonème surnuméraire [k], il est évident qu'une telle épenthèse attire l'attention, mais pourquoi ajouter ce phonème plutôt qu'un autre ? En examinant le contexte plus large du néologisme (le poème lui-même ne fournissant pas de glose), on s'aperçoit que la récitation du poème déclenche deux résultats actantiels significatifs : le départ du pompier se mettant « à la recherche » de son incendie, la dislocation totale du dialogue, subverti à partir de la Scène (xi). A ce moment-là, les propos perdent toute cohérence logique, se transformant le plus souvent en une série de mini-monologues juxtaposés. Qui plus est, le [k] en question, fidèle au principe de prolifération ionesquienne (dans *Les Chaises, L'Avenir est dans les œufs, Le Nouveau locataire, Jacques ou la soumission*, etc.) qui se manifeste dans les clichés et les faux clichés de *La Cantatrice*, engendre toute une famille phonétique (de [k]) dans les répliques de M. Smith et des Martin :

« *Kakatoes, kakatoes...* » ; « *Qu*elle *c*acade, *qu*elle *c*acade, *qu*elle *c*acade... » ; « *Qu*elle *c*ascade de *c*acades, *qu*elle *c*ascade de *c*acades... » (répliques plusieurs fois répétées). Il est d'ailleurs significatif que ce brouillage référentiel est conforme au même principe présidant au choix des énoncés dans le poème de Marie : juxtaposition de termes néologiques et de termes existants (*cascade* existe, bien entendu, tandis que *cacade* est inventé par Ionesco) — ce qui confirme, sans doute, notre hypothèse sur la raison d'être du néologisme *polycandre*. A cela est-il besoin d'ajouter qu'un cocktail référentiel semblable se manifeste chez Ionesco à d'autres niveaux, à partir du nom propre instable Bobby Watson (homme ou femme ? vivant ou mort ?) jusqu'à la juxtaposition d'énoncés référentiels et anti-référentiels dans *Les Chaises*, par exemple. De même, la dernière scène de *La Cantatrice* manifeste une tendance, plus générale, conforme au principe que nous venons d'examiner, à savoir qu'aucun système, aucune « règle » ne tiennent, ne restent stables, cette dernière scène contenant à la fois des propos « normaux » (« Il faut toujours penser à tout » ; « Quand je dis oui c'est une façon de parler ») ; des énoncés sémantiquement arbitraires, motivés exclusivement sur le plan phonétique (« Celui qui vend aujourd'hui un bœuf demain aura un œuf ») ; proverbes ou dictons authentiques (« Charity begins at home ») et faux (« Dans la vie, il faut regarder par la fenêtre ») ; phrases scolaires conçues pour l'apprentissage linguistique (« Le plafond est en haut, le plancher est en bas ») ; astuces ou jeux de mots (« Prenez un cercle, caressez-le il deviendra vicieux ! ») ; faux graffiti politiques (« A bas le cirage ! ») et ainsi de suite. La seule règle dictant le choix de ces énoncés est celle du brouillage référentiel.

Ces exemples correspondent à un mixage de *contextes* référentiels ; le théâtre de Ionesco fournit, d'autre part, maint exemple de mixage de *domaines* référentiels (sur lesquels on ne s'attardera pas ici) à partir du portrait de Roberte par son père dans *Jacques et la soumission* : « Elle a des pieds ! Ils sont truffés [...] Une langue à la sauce tomate ; des épaules pannées, et tous les biftecks nécessaires à la meilleure considération... » [4], portrait dans lequel on relève un mélange référentiel corporel et alimentaire, jusqu'au brouillage plus complexe femme/automobile, dans *Le Salon de l'automobile* qui opère sur les deux plans verbal et acoustique :

---

4. *Jacques ou la soumission* in E. Ionesco, *Théâtre I*, Paris, Gallimard, 1954, p. 109.

Le vendeur — Bon, je vais vous présenter à cette jeune voiture blonde [...] Elle a de jolis pneux (*notes de jazz*) de bons coussins, de très belles jambes (*marche militaire*), une taille fine, un moteur excellent (*bruits d'un moteur défectueux*), un volant agréable, une carrosserie tout neuve, un sourire adorable, une irradiation personnelle [5].

Exemple intéressant sur un autre plan aussi, car les bruitages — notes de jazz, marche militaire, bruits d'un moteur défectueux — viennent tous contredire référentiellement, et donc subvertir, les énoncés qu'ils accompagnent, au lieu de les renforcer, selon le système théâtral habituel.

Mixage de contextes, mixage de domaines référentiels : on relève aussi, dans le texte théâtral expérimental, d'autres formes d'incompatibilités, le plus souvent comiques. Les premières pièces de J. Tardieu fournissent un corpus à la fois riche et suggestif. De telles incompatibilités se situent soit sur le plan verbal et référentiel, soit sur le plan visuel, relatif, celui-ci, au jeu des comédiens et à leur gestualité. Ainsi, par exemple, on discerne dans *Oswald et Zénaïde* [6] un jeu inter- et métatextuel qui consiste à parodier la convention théâtrale de l'aparté et, selon le mot de l'auteur, le contraste comique entre la pauvreté des répliques échangées « à voix haute » et l'abondance des « apartés » [7]. Deux amants, Oswald et Zénaïde, se retrouvent. Leurs propos manifestent un décalage farcesque entre la trivialité des paroles prononcées haut et le mélo tragicomique des apartés du couple qui doit se séparer. L'ensemble du dialogue se limite aux énoncés banals du type « Bonjour, Zénaïde ! » ; « Asseyez-vous Oswald ! » tandis que, par exemple, *l'aparté* de Zénaïde correspondant à sa triviale salutation est celui-ci : « Se peut-il que tout soit fini ! Ah tandis qu'il presse ma main sur ses lèvres, mon Dieu, ne prolongez pas mon supplice et faites que cette minute, qui me paraît un siècle, passe plus vite que l'alcyon sur la mer écumante ! » [8]. Si

---

5. *Le Salon de l'automobile* [sketch radiophonique, radiodiffusé pour la première fois en 1952], in E. Ionesco, *Théâtre IV*, Paris, Gallimard, 1966, p. 198.
6. *Oswald et Zénaïde ou Les Apartés* [Création : 1951] in J. Tardieu, *Théâtre de chambre*, Paris, Gallimard, 1955.
7. P. 161.
8. P. 162. Cf. dans les propos d'Oswald :
Réplique :
Vous, vous, Zénaïde...
Aparté :
Que lui dire de plus ? Elle si confiante, si insouciante ! Jamais je n'aurai la cruauté de lui avouer la grave décision qui vient d'être prise à son insu ! (p. 162)

Oswald et Zénaïde manifeste le décalage entre deux codes du discours théâtral, répliques et apartés, *Ce que parler veut dire* [9] juxtapose un niveau discursif apparent (prononcé) et un niveau, intertextuel, caché (à fournir par le spectateur). Dans cette pièce, un couple adopte un langage secret ayant trait au devoir conjugal. Ainsi (selon les commentaires du personnage présentateur) « Monsieur et Madame X... sont assis dans leur salle à manger. Ils viennent de dîner. Madame brode, Monsieur termine un petit verre...

MONSIEUR X (*d'un air entendu*)

Dis donc, Arlette, ma chérie, si nous allions réviser la Constitution !... Tu sais les noisetiers sont couverts de kangourous.

MADAME (*...*) *répond [...] par un refus* :

Non, non, mon chéri ! Il y a des nuages de Sainfoin sur les coteaux de Suresnes et le rossignol n'a pas été reçu à l'Agrégation ! [10].

Référence *intertextuelle,* cet exemple incarne une chaîne communicative conçue sur le modèle : signifiant →signifiant → référent → signifié (au lieu de la chaîne normale : signifiant → référent →signifié.) En d'autres termes, le référent et le signifié sont stables tandis que le signifiant est arbitraire, fantaisiste.

Les expériences techniques de Tardieu sont parfois encore plus audacieuses. Dans *Eux seuls le savent* [11], la référence, loin d'être intertextuelle, est totalement bloquée *pour que le public ne puisse pas comprendre* ce qui se passe et ce qui se dit. On y trouve donc des pronoms utilisés sans antécédent (et ainsi sans référent) : (Simone dit à Hector : « A ta place j'*y* renoncerais tout de suite. » [12] ; articles définis sans antécédent explicatif (« *L'*affaire n'*en* restera pas là. ») [13] ; expressions spatio-temporelles sans antécédent (« Tu ne vas pas *là-bas*, j'espère. ») [14] ; pronoms personnels sans antécédent (« *Ils* vont et viennent de l'un à l'autre,

---

9. *Ce que parler veut dire* [Création : 1951] in J. Tardieu, *Théâtre de chambre,* Paris, Gallimard, 1955.
10. *Ce que parler veut dire* in *Théâtre de chambre*, p. 175.
11. *Eux seuls le savent* [Création : 1952] in *Théâtre de chambre.*
12. P. 209.
13. Id.
14. P. 211.

prennent de grandes résolutions... ») [15]. A *quoi* le personnage devrait-il renoncer ? *Quelle* affaire ? *Où* c'est là-bas ? *Qui* c'est *ils* ? Le référent anaphorique qui permettrait de répondre à ces questions est bien entendu supprimé.

Le système d'incompatibilité référentielle (et sémantique) jusqu'ici exploré sur le plan verbal chez Ionesco et chez Tardieu se manifeste chez Tardieu également sur le plan *visuel*, notamment sur le plan gestuel. *Un geste pour un autre* [16] constitue une expérience parallèle en *gestualité* au jeu de l'emploi arbitraire du signifiant dans *Un mot pour un autre* [17]. Le geste fantaisiste remplace le geste « normal » ou attendu. Aussi l'Amiral, vieillard plein de distinction, entrant chez Madame de Saint-Ici-Bas s'avance-t-il vers elle, le bicorne à la main, se couvre du bicorne avec gravité :

> Madame, puisque j'ai l'honneur d'être seul avec vous, permettez-moi de retirer mes chaussettes, et de vous en faire l'hommage. (*Il retire avec difficulté ses chaussettes et les offre à Madame de Saint-Ici-Bas.*)

> Madame de Saint-Ici-Bas (*prenant les chaussettes avec un sourire ravi et les posant sur la table*) : Rien ne pouvait me faire plus de plaisir, Amiral [18].

Suppression d'ingrédients ou de codes théâtraux, juxtaposition d'incompatibilités référentielles : une pièce de Tardieu permet de

---

15. P. 212. Cet exemple de subversion référentielle est particulièrement flagrant dans la mesure où Tardieu subvertit en supprimant l'antécédent toute une catégorie de ce que les philosophes du langage (anglo-saxons) à partir de B. Russell nomment la description définie (*definite description*), dont voici une définition française : l'emploi (des noms propres, des pronoms démonstratifs, des pronoms personnels) qui exige « qu'ils ne puissent s'appliquer, dans le contexte d'énonciation, qu'à une seule personne [...] » O. Ducrot, *Dire et ne pas dire. Principes de sémantique linguistique*, Paris, Hermann, 1980 [2ᵉ édition corrigée et augmentée], p. 221. Voir sur ce même propos, J. Searle, *Speech Acts. An Essay in the Philosophy of Language*, Cambridge : Cambridge University Press, 1969 ; son critère de la description définie est ainsi formulé : « There must be one and only one object to which the speaker's utterance of the expression applies. » (p. 82).

16. *Un geste pour un autre* (Création : 1951) in *Théâtre de chambre*.

17. *Un mot pour un autre* (Création : 1950) Cette pièce n'est pas incluse dans l'édition du *Théâtre de chambre* de 1955, mais uniquement dans les éditions postérieures (à partir de celle de 1966).

18. Pp. 227-8.

retrouver côte à côte nos deux catégories et donc notre point de
départ. Il s'agit d'une pièce, créée en 1951, qui s'intitule *Il y avait
foule au manoir* ou *Les Monologues* [19]. Si son objectif, selon le
mot de l'auteur, est de « souligner le caractère artificiel et comique
des monologues, » il faut noter aussi que le monologue dans cette
pièce chasse le dialogue, entièrement absent. Il n'y a donc jamais
plus d'un personnage sur scène, la pièce étant une suite de mini-
monologues. Qui plus est, s'il y a trois rôles masculins et quatre
rôles féminins, les rôles masculins, *incompatibles*, s'agissant d'un
détective privé, d'un premier valet de chambre, mince et élégant,
d'un deuxième valet de chambre, pataud et matois, *sont joués par
un seul comédien*. Parallèlement, une seule comédienne incarne,
en une succession très rapide, les trois rôles féminins, également
incompatibles : la Baronne de Z..., Miss Issipée (américaine),
première femme de chambre, jolie et distinguée, deuxième femme
de chambre, rustaude et grognon. Selon la règle du jeu, puisqu'il
ne peut y avoir échange de répliques, toute l'action de la pièce
est diégétisée, s'agissant en somme d'une prolifération farcesque
d'entrées, de sorties, de récits.

Un mot bref pour conclure. Faut-il souligner que nos deux
catégories caractérisant le texte théâtral expérimental — suppression et juxtaposition — sont bien entendu liées. Le poème de
Marie le montre d'ailleurs assez clairement : les incompatibilités
référentielles de l'énoncé polysémique *prit feu* accompagnent une
forme de suppression, car on pourrait soutenir que la répétition de
l'énoncé polysémique chasse en les remplaçant d'autres énoncés
éventuels. D'une façon analogue, la mise en valeur d'un seul code,
d'un seul niveau : monologue, aparté, geste, décor, accessoire,
entraîne bien entendu la suppression d'autres éléments, sinon la
manipulation de l'élément retenu, qui souvent se caractérise par
la présence d'incompatibilités compensatoires. Enfin, expérimentation théâtrale et création comique se chevauchent et se complètent. Heureusement.

---

19. *Il y avait foule au manoir* ou *Les Monologues* in Théâtre de chambre.

BIBLIOGRAPHIE

Il ne s'agit nullement d'une bibliographie exhaustive ni même d'une liste de tous les titres cités ou consultés. Ne sont répertoriés que les ouvrages et les articles qui ont eu une certaine influence sur les idées exprimées dans le présent essai, ou qui soulèvent des problèmes théoriques qui s'y rapportent directement.

ALTER (Jean), « From Text to Performance, » *Poetics Today*, 2 : 3 (1981), pp. 113-139.

ARNHEIM (Rudolf), *Visual Thinking*, Londres, Faber & Faber, 1970 (tr. *La Pensée visuelle*, Paris, Flammarion, 1976).

ARRIVÉ (Michel), *Les Langages de Jarry*, Paris, Klincksieck, 1972.

AUSTIN (J.L.), *Philosophical Papers*, Oxford, Oxford University Press, 1961.

— *How To Do Things With Words*, Cambridge (Mass.), Harvard University Press, 1962.

BABLET (Denis), *Esthétique générale du décor de théâtre de 1870 à 1914*, Paris, Éditions du C.N.R.S., 1965

— « Pour une méthode d'analyse du lieu théâtral, » *Travail Théâtral* 6 (1972), pp. 107-125.

— *Les Révolutions scéniques du XXᵉ siècle*, Paris, Société Internationale d'Art — XXᵉ siècle, 1975.

BARTHES (Roland), *Sur Racine*, Paris, Seuil, 1964.

— « Rhétorique de l'image, » *Communications* 4 (1964), pp. 40-51.

— « Introduction à l'analyse structurale des récits, » *Communications* 8 (1966), pp. 1-27.

BAUDELAIRE (Charles), « De l'essence du rire, » in *Curiosités esthétiques, Oeuvres Complètes*, Paris, Gallimard (Bibliothèque de la Pléiade), 1961, pp. 975-993.

BENVENISTE (Émile), *Problèmes de linguistique générale* I, Paris, Gallimard, 1966 et II, 1974.

BERGSON (Henri), *Le Rire. Essai sur la signification du comique*, Paris, P.U.F. [103ᵉ éd.] 1956.

BEVINGTON (David), *Action is Eloquence*, Cambridge, Mass., Harvard University Press, 1984.

BOGATYREV (Petr), « Les signes du théâtre, » *Poétique* 8 (1971), pp. 517-530.

BROWN (Gillian) & YULE (George), *Discourse Analysis*, Cambridge, Cambridge University Press, 1983.

BUTOR (Michel), *Les Mots dans la peinture*, Genève, Skira, 1969.

CHARNEY (Maurice), *Comedy High and Low. An Introduction to the Experience of Comedy*, New York, Oxford, Oxford University Press, 1978.

CHASTAIN (Charles), « Reference and Context, » in K. Gunderson (Ed.), *Language, Mind and Knowledge*, Minneapolis, University of Minnesota Press, 1975, pp. 194-269.

CICERON, *De Oratore*.

CONTAT (Michel), *Explication des « Séquestrés d'Altona »*, Paris, Minard (*Archives des Lettres Modernes*), Nos. 277-282, 1968.

— & RYBALKA (Michel), *Les Écrits de Sartre*, Paris, Gallimard, 1970.

CULLER (Jonathan), *The Pursuit of Signs*, Londres, Routledge & Kegan Paul, 1981.

DÄLLENBACH (Lucien), « Intertexte et autotexte, » *Poétique*, 27 (1976).

DONNELLAN (Keith), « Reference and Definite Descriptions, » *The Philosophical Review* LXXV (July 1966), pp. 282— 304.

— « Proper Names and Identifying Descriptions, » *Synthese* 21 (1970), pp. 335-358.

— « Speaker Reference, Descriptions and Anaphora, » in P. Cole (Ed.) *Syntax and Semantics* (Vol. 9 : *Pragmatics*), New York, Academic Press, 1978, pp. 47-68.

DUCHET (Claude), « *La Fille abandonnée* et *La Bête humaine* : éléments de titrologie romanesque, » *Littérature* 12 (décembre 1973), pp. 49-73.

DUCROT (Oswald), *Dire et ne pas dire. Principes de sémantique linguistique*, Paris, Hermann, (2e éd. revue) 1980.

ELAM (Keir), *Semiotics of Theatre and Drama*, Londres, Methuen, 1980.

— *Shakespeare's Universe of Discourse*, Cambridge, Cambridge University Press, 1984.

FISH (Stanley), *Is There a Text in This Class ?*, Cambridge (Mass.), Harvard University Press, 1980.

FREUD (Sigmund), *The Standard Edition of the Complete Psychological Works of Sigmund Freud*, Vol. 4 : *The Interpretation of Dreams*, Londres, Hogarth Press, 1953.

— *Le Mot d'esprit et ses rapports avec l'inconscient*, Paris, Gallimard (« Idées »), 1976.

GENETTE (Gérard), *Figures III*, Paris, Seuil, 1972.

— *Palimpsestes*, Paris, Seuil, 1982.

GIRAUDOUX (Jean), « Le Metteur en scène, » in *Littérature*, Paris, Gallimard (« Idées »), 1967.

GOFFMAN (Erving), *Frame Analysis*, Harmondsworth, Penguin Books, 1975.

— *Forms of Talk*, Philadelphia, University of Pennsylvania Press, 1981.

GOMBRICH (Ernst), *Art and Illusion*, Princeton, Princeton University Press, 1960 (tr. *L'Art et l'illusion*, Paris, Gallimard, 1971).

GOODMAN (Nelson), *Languages of Art*, Indianapolis, Hackett Publ. Co., 1976.

Groupe μ, « Rhétoriques particulières : Figures de l'argot, titres de films, la clé des songes, les biographies de *Paris Match* », *Communications* 16 (1970), pp. 70-124.

HONZL (Jindrich), « The Dynamics of the Sign in the Theater, » in L. Matejka & I. Titunik, *Semiotics of Art*, Cambridge (Mass.), M.I.T. Press, 1976, pp. 74-93 (tr. « La Mobilité du signe théâtral, » *Travail Théâtral* 4 (1971) pp. 6-20.

HUIZINGA (Johan), *Homo Ludens. A Study of the Play Element in Culture*, Londres, Routledge & Kegan Paul, 1950.

INGARDEN (Roman), *The Literary Work of Art. An Investigation on the Borderlines of Ontology, Logic and Theory of Literature* (1965), Evanston, Northwestern University Press, 1973.

ISER (Wolfgang), *The Implied Reader*, Baltimore & Londres, John Hopkins University Press 1974.

ISSACHAROFF (Michael), « L'Espace et le regard dans *Huis clos* », *Magazine Littéraire* Nos. 103-104 (septembre 1975), pp. 22-27.

— *L'Espace et la nouvelle*, Paris, José Corti, 1976.

— « (Sémio)logique du mélo, » *Magazine Littéraire*, No 124 (1977), pp. 22-25.

— « Qu'est-ce que l'espace littéraire ? » *L'Information Littéraire* No 303 (1978), pp. 117-122.

— « Espaces mimétiques, espaces diégétiques : Pour une sémiotique des *Mouches*, » in Issacharoff & Vilquin (Eds.), *Sartre et la mise en signe*, Paris, Klincksieck & Lexington, French Forum, 1982, pp. 56-67.

— « Intertextual Interlude : Jarry's *Léda*, » *L'Esprit Créateur*, Vol. 24, No. 4 (1984), pp. 67-74.

— « Sur *Nekrassov* et le discours de la farce, » *Cahiers de Sémiotique Textuelle* Nos. 5-6 (1985).

— « Drama and the Reader, » *Poetics Today* 2 :3 (1981), pp. 255-263.

— « How Playscripts Refer. Some Preliminary Considerations, » in Whiteside & Issacharoff (Eds.), *On Referring in Literature* (à paraître).

JACQUOT (Jean) & BABLET (Denis) (Eds.), *Le Lieu théâtral dans la société moderne*, Paris, Éditions du C.N.R.S., 1963.

JACQUOT (Jean), *Le Lieu théâtral à la Renaissance*, Paris, Éditions du C.N.R.S., 1964.

JAKOBSON (Roman), *Essais de linguistique générale* I, Paris, Minuit, 1963.

JARRY (Alfred), « De l'inutilité du théâtre au théâtre, » in *Oeuvres Complètes*, t.1, Paris, Gallimard (Bibliothèque de la Pléiade), 1972, pp. 405-410.

KERBRAT-ORECCHIONI (Catherine), *La Connotation*, Lyon, Presses de l'Université de Lyon, 1977.

— *L'Énonciation. De la subjectivité dans le langage*, Paris, Colin, 1980.

KERNODLE (George), *From Art to Theater. Form and Convention in the Renaissance*, Chicago & Londres, University of Chicago Press, 1944.

KOESTLER (Arthur), *The Act of Creation*, Londres, Hutchinson, 1964 (tr. *Le Cri d'Archimède*, Paris, Calmann-Lévy, 1965).

KONIGSON (Élie), *L'Espace théâtral médiéval*, Paris, Éditions du C.N.R.S., 1976.

KOWZAN (Tadeusz), *Littérature et spectacle*, Paris & La Haye, Mouton, 1975.

KRIPKE (Saul), « Naming and Necessity, » in D. Davidson & G. Harman (Eds.), *Semantics of Natural Language*, Dordrecht, Reidel, 1972, pp. 253-355.

KRISTEVA (Julia), *Semeiotiké. Recherches pour une sémanalyse*, Paris, Seuil, 1969.

LARTHOMAS (Pierre), *Le Langage dramatique*, Paris, Colin, 1972.

LAVIS (Georges), « Le texte littéraire, le référent, le réel, le vrai, » *Cahiers d'Analyse Textuelle* 13 (1971), pp. 8-22.

LOTMAN (Iouri), *La Structure du texte artistique*, Paris, Gallimard, 1973.

LYONS (John), *Semantics* (Vol. 1), Cambridge, Cambridge University Press, 1977.

MAURON (Charles), *Psychocritique du genre comique*, Paris, José Corti, 1963.

MILNER (G.B.), « Homo Ridens. Toward a Semiotic Theory of Humour and Laughter, » *Semiotica* Vol. 5, N°. 1 (1972), pp. 1-30.

MORRIS (Charles), *Signs, Language and Behavior*, New York, Prentice Hall, 1946.

MOUNIN (Georges), *Introduction à la sémiologie*, Paris, Minuit, 1970.

OGDEN (C.K.) & RICHARDS (I.A.), *The Meaning of Meaning*, Londres, Trench, Trubner & Kegan Paul, 1923.

OLSON (Elder), *The Theory of Comedy*, Bloomington & Londres, Indiana University Press, 1970.

PAVIS (Patrice), *Voix et images de la scène*, Lille, Presses Universitaires de Lille, 1982.

PEIRCE (Charles Sanders), *The Collected Papers of Charles Sanders Peirce* (Ed. by C. Hartshorne & P. Weiss), Vol II : *Elements of Logic*, Cambridge (Mass.), Harvard University Press, 1932.

Poetics Today 2 :3 (1981) (« Drama, Theater, Performance »).

Poétique 27 (1976) [Numéro spécial sur l'intertextualité].

POLIERI (Jacques), *Scénographie, sémiographie*, Paris, Denoël-Gonthier, 1971.

PRATT (Mary Louise), *Toward a Speech Act Theory of Literary Discourse*, Bloomington & Londres, Indiana University Press, 1977.

PRINCE (Gerald), « Le Discours attributif et le récit, » *Poétique* 35 (1978), pp. 305-313.

QUINTILIEN, *Institutio Oratoria*.

RIFFATERRE (Michael), *Essais de stylistique structurale*, Paris, Flammarion, 1971.

— « The Poetic Function of Intertextual Humor, » *Romanic Review* LXV,4 (1974) ; pp. 278-293.

— *La Production du texte*, Paris, Seuil, 1979.

— « La Trace de l'intertexte », *La Pensée* 215 (octobre 1980).

RUSSELL (Bertand), « On Denoting, » *Mind* 14 (1905), pp. 479-493.
— *An Inquiry into Meaning and Truth*, Londres, Allen & Unwin, 1940.
SAISON (Maryvonne), « Les Objets dans la création théâtrale, » *Revue de Métaphysique et de Morale*, t.79, Nº. 2 (1974), pp. 253-268.
SARTRE (Jean-Paul), *L'Être et le néant*, Paris, Gallimard, 1943.
SCHERER (Jacques), *La Dramaturgie classique en France*, Paris, Nizet, 1950.
SEARLE (John), *Speech Acts. An Essay in the Philosophy of Language*, Cambridge, Cambridge University Press, 1969.
— « The Logical Status of Fictional Discourse, » *New Literary History*, Vol VI (1974-5) pp. 319-332, repris in Searle, *Expression and Meaning*, Cambridge, Cambridge University Press, 1979.
SMITH (B. Herrnstein), *On the Margins of Discourse*, Chicago & Londres, University of Chicago Press, 1978.
SOURIAU (Étienne), *Les Deux cent mille situations dramatiques*, Paris, Flammarion, 1950.
SPIEGEL (Patricia K.), « Early Conceptions of Humor : Varieties and Issues, » in J.H. Goldstein & P. McGhee (Eds.), *The Psychology of Humor*, New York & Londres, Academic press, 1972, pp. 3-39.
STRAWSON (P.F.), « On Referring, » *Mind* LIX (1950), pp. 320-344.
— *Individuals. An Essay in Descriptive Metaphysics*, Londres, Methuen, 1959.
— *Logico-Linguistic Papers*, Londres, Methuen, 1971.
STUBBS (Michael), *Discourse Analysis. The Sociolinguistic Analysis of Natural Language*, Oxford, Blackwell & Chicago, University of Chicago Press, 1983.
TODOROV (Tzvetan), *Poétique de la prose*, Paris, Seuil, 1971.
— *Les Genres du discours*, Paris, Seuil, 1978.
TRAVERS (Seymour), *Catalogue of Nineteenth Century French Theatrical Parodies*, New York, King's Crown Press, 1941.
TRUCHET (Jacques), « *Huis clos* et *L'État de siège*, signes avant-coureurs de l'anti-théâtre », in J. Jacquot, *Le Théâtre moderne*, II : *Depuis la seconde guerre mondiale*, Paris, Éditions du C.N.R.S., 1967, pp. 29-36.
UBERSFELD (Anne), *Lire le théâtre*, Paris, Éditions Sociales, 1977.
URMSON (J.O], « Dramatic Representation, » *Philosophical Quarterly* 22 (1972) pp. 333-343.
VELTRUSKY (Jiri), *Drama as Literature*, Lisse, Peter de Ridder Press, 1977.
VERNOIS (Paul), *La Dramaturgie poétique de Jean Tardieu*, Paris, Klincksieck, 1981.
WHITESIDE (Anna) et ISSACHAROFF (Michael), *On Referring in Literature*, (à paraître).

INDEX DES PIÈCES CITÉES
OU ANALYSÉES

(L'inclusion ou l'exclusion d'une pièce à titre d'exemple ne correspond nullement à une perspective valorisante ou dévalorisante. Seuls ont été retenus des textes pertinents aux problèmes théoriques soulevés. Se côtoyent donc ici des auteurs majeurs et mineurs français et non-français).

INDEX DES NOMS

TABLE